DE KIKKERKU

LISETTE THOOFT

De kikkerkus

Misverstanden over seks,
liefde en emancipatie

UITGEVERIJ BALANS

2003 Uitgeverij Balans
©2003 Lisette Thooft
Ontwerp omslag Anton Feddema
Fotografie omslag David Trood/Bam/Hollandse Hoogte
Auteursfoto Pauline Bijster
Typografie en zetwerk Adriaan de Jonge, Amsterdam
Druk Drukkerij Wilco, Amersfoort
Verspreiding voor België Libridis, Sint Niklaas

ISBN 90 5018 588 6
NUR 745

www.uitgeverijbalans.nl

Inhoud

Opgedragen in dankbare herinnering aan Barry Long, de man van wie ik het meest geleerd heb over liefde.

HOOFDSTUK I

Was er wel een kus?

Ken je dat sprookje waarin de prinses de kikker kust en hij verandert in een prins? Natuurlijk. Iedereen kent dat sprookje. Het is bijna een cliché geworden. Vrouwen vragen zich spottend af hoeveel kikkers ze nog moeten kussen voordat er eindelijk een verandert in een prins. Langs de route van de huwelijksstoet van prins Willem Alexander met Maxima hielden joligerds een spandoek omhoog met de tekst: 'Kus de kikker Max!' Geestige lieden draaien het om en maken grapjes over prinsen die in kikkers veranderen. Het beeld van de transformatie van kikker tot prins heeft zich diep in onze cultuur genesteld.

De vraag is echter: kuste de prinses die kikker? Of smeet ze hem tegen de muur? Kwakte ze hem tegen de spiegel? Sloeg ze zijn hoofd eraf met een zwaard? Knipte ze zijn kikkerhuid open met een grote schaar? Al deze versies komen voor in oude volksverhalen. Het thema is telkens de verandering van een koudbloedig, dierlijk wezen tot liefhebbende echtgenoot. Dat gaat kennelijk niet vanzelf. Klopt het wel, van die kus?

En waarom is de versie van de kus in onze cultuur eigenlijk de bekendste, of zelfs de enige wijd en zijd bekende weergave van het oude thema geworden?

IN 'KONING KIKVORSCH of de IJzeren Hendrik' van de gebroeders Grimm is geen sprake van een kus, integendeel. In het kort: een prinses speelt in het bos met haar lievelingsspeelgoed, een gouden bal, en laat deze per ongeluk in de vijver vallen. Een kikvors steekt zijn kop boven water en belooft de bal voor haar op te vissen, op voorwaarde dat hij van haar bordje mag eten en in haar bedje mag slapen. De prinses stemt toe, hoewel ze denkt: wat een onzin. De kikker haalt haar bal uit de diepte tevoorschijn en de prinses rent ermee naar huis. De volgende dag staat de kikker op de stoep om zijn beloning in ontvangst te nemen. De prinses wil hem niet binnen laten, maar de koning beveelt haar te doen wat ze beloofd heeft, en de kikker mag dus van het gouden bordje van zijn dochter eten. Het meisje zelf krijgt geen hap meer door haar keel van walging. Na tafel zegt de kikker: breng me naar je bedje. Het prinsesje begint te huilen. Hierop wordt de koning boos: de kikker moet mee. De prinses pakt de kikvors met twee vingers aan en zet hem in een hoek van haar kamertje neer. Maar zodra zij zelf in bed ligt, komt hij aankruipen en zegt: 'Neem mij op, of ik zeg het aan je koninklijke vader.' Daarop wordt de prinses razend van woede, ze pakt het vieze beest beet en slingert het uit alle macht tegen de muur aan: 'Daar kun je slapen!' Zodra hij op de grond valt, is de kikker verdwenen en staat er een prins met mooie, vriendelijke ogen voor haar bed.

In een vergelijkbaar, minder bekend sprookje van de gebroeders Grimm: 'De kikkerprins', laat de prinses de kikker twee nachten aan haar voeteneind slapen, maar de derde nacht zegt ze: 'Dit is de laatste keer dat ik je binnenlaat, ik heb er geen zin meer in.' De volgende ochtend staat er een mooie prins naast haar bed.

Mij bevalt deze versie wel. Hij lijkt meer op de manier waarop ik met relaties ben omgegaan. Maar dit terzijde.

ER ZIJN VERRASSEND veel oude volksverhalen waarin kikkers veranderen in prinsen; een paar beschrijf ik kort in de bijlage achter in dit boek. De prinses moet in al die verhalen nogal draconische handelingen verrichten om van de kikker een prins te maken – zijn hoofd eraf hakken met een roestig zwaard bijvoorbeeld, of zijn rug openknippen met een schaar. En telkens is die woeste afwijzing nauw geassocieerd met de toegang tot haar bed, haar seksualiteit.

Sprookjes zijn psychologische adviezen verpakt in symbolische beelden, die mensen al eeuwenlang mondeling overleveren aan volgende generaties. De kleurrijke, fantastische en vaak bizarre beeldspraak blijft hangen in het onderbewuste van de toehoorders en doet daar zijn zegenrijke werk. Als je de verhalen te letterlijk neemt, ga je de mist in. Zelfs binnen de magische grenzen van de sprookjeswereld, waarin boze feeën prinsen kunnen omtoveren in kikkers en dieren kunnen praten, is het sprookje van de kikkerkoning weerbarstige materie voor het rationele verstand. Een meisje speelt roekeloos met iets kostbaars en raakt het kwijt in het water; een dier helpt het terug te vinden en vraagt daarvoor een beloning; het meisje stemt toe maar komt vervolgens op haar belofte terug. Tot overmaat van verwende nesterigheid smijt ze het hulpvaardige beest tegen de muur. En toch is dat nou precies wat ze moet doen om de betovering te verbreken.

Ter verdediging van de prinses kunnen we op het rationele niveau aanvoeren dat de kikker voor zijn reddingsactie – waarvoor hij alleen maar hoeft te doen wat hij altijd al doet, namelijk in het water duiken – wel een buitensporig grote en buitenissige beloning vraagt: met zijn natte kikkerlijf wil hij in haar schone bed. Maar op dit niveau kom je er niet uit. Het oude verhaal verwoordt een psychologisch proces waarin alle spelers doen wat ze moeten doen om de ontwikkelingen in gang te zetten en te komen tot een happy end. Een van de essentiële elementen is dat meisjes krachtdadig nee moeten zeggen tegen kikkers die in hun bed proberen te komen.

Hoezo een kikker?

Voor inzicht in het seksuele leven van de kikker wend ik me tot de wetenschap: 'Mannetjespadden en -kikkers (...) zijn zo promiscue en *indiscriminate* dat zij eenvoudigweg alles wat ook maar enigszins op een soortgenoot lijkt bespringen, al is het een klomp modder, en zich stevig vastklampen. Deze regelrechte blinde paringsdrift garandeert dat het mannetje geen enkele paringskans mist.' Dit citaat stamt uit een essay van Johan M.G. van der Dennen, onderzoeker bij het Center Peace & Conflict Studies van de Rijksuniversiteit Groningen, getiteld 'De evolutionaire redenen van strijd der geslachten', deel 3: Mannelijke reproductieve strategieën en de mannelijke 'psyche'. Op de theorie van Van der Dennen kom ik later in dit boek terug. Voorlopig heeft hij ons een helder beeld geschetst van de kikkerman.

WAAROM DENKEN WIJ tegenwoordig dat we die kikker moeten kussen?

De eerste vertaler van Grimms sprookjes in het Engels, Edgar Taylor, combineerde omstreeks 1820 de twee verhalen waarin een kikker een prins wordt, 'De kikkerkoning' en 'De kikkerprins', en op het cruciale punt corrumpeert hij de tekst. Zijn verhaal begint met de gouden bal. Maar als de vader zijn dochter sommeert de kikker mee te nemen naar haar slaapkamer, maakt Taylor ervan dat zij het dier gedwee op haar hoofdkussen zet, waar het de nacht doorbrengt. Drie nachten zelfs. Passief en gehoorzaam aan haar vader tolereert het meisje het glibberige dier, waarvan eerder in het sprookje wordt gemeld dat ze er vreselijk bang voor is. Ze uit geen woord van afwijzing, stelt geen enkele grens. Haar beloning is dat hij op de ochtend van de derde nacht helemaal vanzelf in een prins veranderd blijkt, die met haar trouwt.

Taylor heeft dus met zijn verbastering geruisloos elke vorm van protest of van actief verzet van het meisje uit het verhaal geschrapt.

Zijn versie werd de bron van alle latere Angelsaksische hervertellingen. Preutse vertellers lieten voor de zekerheid het bed achterwege en hielden het op een kuise kus. En zo zijn we opgescheept geraakt met het idee dat meisjes die zonder morren, op commando van hun vader of de patriarchale cultuur waarin ze leven, grenzeloos intieme contacten aangaan en blijven onderhouden met enge, chanterende, veeleisende, amfibie-achtige wezens die geen enkele paringskans willen missen, uiteindelijk beloond zullen worden met een nobele, liefhebbende echtgenoot.

In de praktijk hebben onze liefdesgeschiedenissen zelden zo'n gelukkige afloop.

WE KUNNEN TAYLOR niets kwalijk nemen. Hij leefde in een tijd waarin vrouwen geacht werden passief de 'engel in het huis' te zijn, een steunende en koesterende aanwezigheid voor hun man, die uiteraard de hoofdrol speelde. Meisjes konden maar beter geen verhalen horen waarin prinsesjes beloond werden voor opstandig gedrag. Misschien dacht hij ook te eenzijdig rationeel om een diepere symboliek aan te voelen in de sprookjes die hij vertaalde, en vond hij het pedagogisch niet verstandig om een voorbeeld te geven van een kind dat straffeloos een dier mishandelt.

Maar het is natuurlijk wel een tragische ontwikkeling. Eeuwenlang hadden wijze grootmoeders en moeders aan hun dochters de heldere boodschap meegegeven, dwars tegen de culturele mores in, dat een meisje zeggenschap had over haar eigen bed en dat ze er, als ze dapper genoeg was, mannen uit kon weren die het niet veel uitmaakte of ze zich nu vastklampten aan een vrouw of aan een klomp klei. Dat ze 'ja' kon zeggen tegen een veelbelovende vrijer en vervolgens 'nee' als hij haar glibberig wilde bespringen. Sterker nog, dat deze laatste weigering zou resulteren in een nobele minnaar met vriendelijke ogen, die haar trouw zou liefhebben en zijn koninkrijk met haar delen. En alle jongetjes hadden ergens in hun onderbewuste het beeld opgeslagen van een boze betovering die mannen beestachtig maakt, en die alleen verbroken kon worden als een liefdevolle vrouw het beest in hem om zeep hielp, of althans de toegang weigerde.

Andere sprookjesverzamelaars hadden tenminste de hoffelijkheid gehad om de verhalen, hoe mysterieus en onbegrepen ook, min of meer intact uit de monden van de overleveraars op te tekenen. Dankzij Taylor verdwijnt die vitale boodschap voor miljoenen en nog eens miljoenen Angelsaksische kinderen, met één pennenstreek van een eigengereide vent die denkt dat hij het beter weet.

DOCHTERS DIE HUN vaders gehoorzamen tot in hun bed, zijn met huid en haar overgeleverd aan de patriarchale overheersing. En dat zijn vrouwen dan ook, tegenwoordig.

Opvallend kenmerk van het patriarchaat is dat de seksualiteit van de vrouw het eigendom is van de man. Seks is er om de man van nageslacht te voorzien. De coïtus is een dienst die vrouwen aan mannen bewijzen, daar zijn mannen en vrouwen het over eens. Dat ook vrouwen de regels en eisen verinnerlijken, is een belangrijk gegeven.

In de meest flagrante vorm is de hele vrouw eigendom van een man – te beginnen met haar vader, totdat die haar verkoopt of weggeeft aan een andere man, die haar in bezit neemt. Deze volbloed-versie, nog altijd te vinden in sommige islamitische landen, regelt de seksualiteit door het vrouwenlichaam volstrekt taboe te verklaren voor alle mannen behalve voor de wettige eigenaren ervan. In sommige streken is zelfs seksueel genot taboe voor de vrouw zelf; om te bevestigen dat zij geen vreugde mag beleven aan de dienst die zij haar man bewijst, verwijdert men haar clitoris. Het zijn overigens de vrouwen die de kleine meisjes verminken, niet de mannen. In hoeverre dat met de islam zelf te maken heeft en waar oudere en primitievere cultuurinvloeden meespelen, is niet duidelijk. Maar in de koran wordt seks wel benaderd vanuit het mannelijke perspectief: 'Uw vrouwen zijn als een akker voor u. Benader dan uw akker zoals u wilt...'

Het Oude Testament toont aan dat ook de joods-christelijke cultuur van oudsher doordrenkt is van een dergelijke opvatting. Het woord liefhebben komt er alleen in voor met een man als onderwerp en een vrouw als lijdend voorwerp. Het Hooglied is een interessante uitzondering, maar in de rest van de boeken van het Oude Testament hebben vrouwen niet lief en wat zij voelen, blijft volslagen buiten beeld. Seksualiteit is met nadruk gericht op de voortplanting: hoe meer kinderen, hoe beter.

Wat Christus in werkelijkheid allemaal over de liefde tussen man en vrouw gezegd heeft, weet bijna niemand. Maar in het Nieuwe Testament bekrachtigen Paulus en Petrus met hun brieven nog eens ferm de mannelijke claims. Het lichaam van de vrouw, sterker nog, de lichamen van alle vrouwen in een huishouden zijn het wettige bezit van de heer des huizes. Zij dienen hem ter wille te zijn.

De boodschap van de oude volksverhalen over kikkers is dat het niet alleen mogelijk is het machtige verbond tussen vader en schoonzoon te doorbreken, maar zelfs noodzakelijk, wil je van je man in bed een mens maken. Als een zilveren draad sponnen die sprookjes door de eeuwen heen dit besef in de diepten van het kinderlijke onderbewuste, doorgegeven van grootmoeder op moeder op dochter.

Door Edgar Taylors ingreep is die boodschap geperverteerd tot het tegenovergestelde. Kus de kikker, meisjes – aanvaard een man zoals hij is, dien hem met je willigheid, sta hem de coïtus toe op zijn condities – en je krijgt een rijke echtgenoot.

GRIMMS OORSPRONKELIJKE versie van 'De kikkerkoning of IJzeren Hendrik' heeft nog een interessant staartje. De verloste prins laat direct een koets met acht witte paarden voorkomen om de prinses mee te nemen naar zijn koninkrijk. Achter op de koets staat zijn dienaar, de trouwe Hendrik. Deze Hendrik was zo bedroefd geworden toen zijn heer in een kikvors veranderd was, dat hij drie ijzeren banden om zijn hart had laten smeden, opdat het niet van verdriet en rouw uit elkaar zou springen. Onderweg hoort het bruidspaar achter zich iets kraken, alsof er iets met een klap uit elkaar springt. Tot drie keer knalt er een ijzeren band los, dan is het pantser rond het hart van de dienaar gebroken en kan de man weer voelen.

Knecht en prins zijn aspecten van dezelfde archetypische figuur; zolang een man in de ban is van zijn dierlijke seksualiteit, zit hij vast in een emotioneel pantser. Pas als hij verlost is uit de betovering, kan hij zijn hart vrijlaten en krijgt hij ruimte voor de liefde.

Of is het: pas als een man zijn hart opent, is hij in de seksualiteit beest-af? De andere verhalen waarin kikkers met geweld ontkikkerd worden, wijzen in die richting. De kop van het beest moet eraf geslagen worden: hij moet zijn aandacht weghalen uit zijn mentale plaatjes en seksuele fantasieën en 'indalen' in zijn romp, waar zijn hart zit. Het meisje dat de rug van de kikker openknipt, bevrijdt daarmee natuurlijk ook zijn hart, zijn gevoel.

Wie kikkers blijft kussen, doet geen enkel appel op het gevoel van de man. Hij mag blijven steken in een primitieve opvatting van de lichamelijke liefde – die van de geile harteloze seks, gericht op zaadlozingen. Wie of wat er onder hem ligt, doet er niet zoveel toe. Een klomp klei desnoods. Of een opblaaspop. Of een virtuele vrouw. Of een vrouw die hem koud laat, die hij haat of minacht. Zolang hij maar opgewonden raakt en lekker klaarkomt, is het allemaal best.

DIT BOEK WIL een paar brandende vragen oproepen, sommige retorisch, andere open. In hoeverre is de patriarchale claim op de seksualiteit van de vrouw in onze zogenaamd seksueel bevrijde westerse cultuur eigenlijk opgeheven? Zijn we niet veeleer in een late fase hiervan terechtgekomen, waarin vrouwen niet alleen de primitief-mannelijke opvatting van seks en liefde omarmen, maar zich zelfs innerlijk aanpassen aan deze opvatting? Hoe verhoudt zich dat tot het onbehagen van de vrouw en de specifieke relatieproblemen van onze tijd? Waarom wordt het vrouwelijke element juist in onze tijd zo heftig ontkend en verworpen, zelfs door feministen?

Aan de hand van het kikkersprookje wil ik analyseren wat de oude overleveringen te zeggen hebben over seks en liefde, en over de psychologische ontwikkeling van man en vrouw. Wat symboliseert de hulp van de kikker om een gouden bal uit diep water te halen of troebel water te zuiveren? En dan de intrigerende kwestie van die boze heks, of boze moeder, of die zieke moeder, die achter de schermen van het kikkerdrama een of andere duistere rol speelt. Wie of wat waren de heksenmoeders die in een ver verleden onze mannen in beesten hebben veranderd?

Een echte open vraag is voor mij de volgende: hoe zou een werkelijk bevrijde, feminiene seksualiteit van de vrouw eruitzien?

Vragen zijn interessanter dan antwoorden. Zeker op het gebied van de seksualiteit, dat – het exhibitionisme van onze cultuur ten spijt – een uiterst individueel terrein is waar iedereen zijn of haar eigen antwoorden moet vinden. Bovendien is seks een explosief onderwerp. Lust is een mijnenveld van onderhuidse onlusten, en veel mensen, vooral vrouwen denk ik, hebben leren leven met verdrongen pijn die onder een dun vliesje van vanzelfsprekendheid verborgen ligt.

Dat ik toch enkele aanzetten tot antwoorden probeer te geven, is om te laten zien dat er ook andere antwoorden mogelijk zijn dan onze cultuur dicteert. Na bijna een halve eeuw van gepassioneerd bedreven, participerend onderzoek en enig literatuuronderzoek rondom seks en liefde moet ik vaststellen dat veel vanzelfsprekendheden van onze cultuur op dit gebied op gespannen voet staan met de waarheid zoals ik die heb ervaren.

Eén vraag beantwoord ik in elk geval door het schrijven van dit boek zelf: hoe krijgen we de liefde op de agenda?

HOOFDSTUK 2

Kikkers kussen

Een vrouw mag van een goede fee drie wensen doen, elke dag één. 'Bedenk alleen wel,' zegt de fee, 'dat je man ook alles krijgt wat jij krijgt, en wel tienvoudig.' Geen probleem, vindt de vrouw. Op de eerste dag wenst ze dat ze beeldschoon wordt. De fee verricht haar goede werk en vertrekt om de volgende dag terug te keren. Nu wenst de vrouw dat ze steenrijk wordt. Ook dat gebeurt. De derde dag staat de vrouw al klaar om de fee op te wachten. 'Wat wens je vandaag?' vraagt deze. De vrouw antwoordt: 'Een heeeel klein hartinfarctje.'

Ha, ha, ha (vreugdeloze lach).

Andere keer, zelfde fee, zelfde kans om drie wensen te doen. Maar nu een vrouw die niet meer haar uiterste best doet om te denken als een man. 'Aha, krijgt mijn man alles wat ik krijg in tienvoud? Dan wens ik dat ik stapelgek word op mijn partner.' De volgende dag komt de fee weer langs. De gordijnen zijn dicht en de fee moet lang bellen voordat de deur open gaat. Ten slotte verschijnt de vrouw in de deuropening, een laken haastig omgeslagen, haren verfomfaaid, ogen glanzend, wangen blozend. 'Wat wens je...?' begint de fee. Maar de vrouw valt haar in de rede. 'O ben jij het, fee, nog ontzettend bedankt, het is fantastisch! Ik hoef verder niets, ik ga gauw weer naar binnen.'

'Hola,' protesteert de fee nog. 'Wat moet ik dan doen met die andere wensen?' 'Geef ze maar aan andere vrouwen,' roept de vrouw over haar schouder terwijl ze in het huis verdwijnt.

VOLGENS EEN ONDERZOEK van het NISSO, het Nederlands Instituut voor Sociaal Seksuologisch Onderzoek, dat halverwege de jaren negentig van de vorige eeuw werd uitgevoerd, heeft vrijen voor ongeveer de helft van de ondervraagde mensen een duidelijk aantoonbaar prettig na-effect. Zij voelen zich na een fijne vrijpartij uren- of zelfs dagenlang meer ontspannen, zachter, ontvankelijker en milder gestemd. Een seksuoloog die bij het onderzoek betrokken was, Wil Zeegers, schreef: 'Misschien wel de meest markante nawerking van het vrijen vinden we op een geheel ander vlak, en opmerkelijk genoeg alleen bij vrouwen. Zij hebben meer zelfvertrouwen en vooral het gevoel dat ze als persoon worden gewaardeerd. Bij een aantal is dit onder meer bespeurbaar in de zelfverzekerdheid over hun uiterlijk: zij voelen zich daags na het vrijen veel mooier, wat volgens hen ook door hun partner en collega's wordt opgemerkt.' (*Psychologie Magazine*, april '95).

Hij constateert dat mensen die een dergelijk prettig na-effect van seks ervaren, bewuster en zorgvuldiger met hun seksuele relatie omspringen dan de anderen. De nagenieters communiceren beter, opener en liefdevoller met hun partners. Daardoor wordt hun contact intiemer, tederder en vertrouwelijker.

Ongeveer de helft. Is het glas halfvol, of is het halfleeg?

Natuurlijk willen vrouwen seks. Maar wel graag seks met aandacht. Seks alsof we allebei mens waren en elkaar heel bijzonder en belangrijk vonden. Seks waar je mooier van wordt, waarvan je wangen gaan blozen zonder rouge, waarvan je lippen vol en vochtig worden zonder lippenstift en gloss en je ogen zo gaan stralen dat je geen make-up meer nodig hebt. Seks waarvan je haren in een charmante wanorde raken zonder dat er een knappe kapper of een pot mousse aan te pas komt. Seks waarvan je ontspannen en zacht wordt, die je zelfvertrouwen versterkt als vrouw, omdat de spiegel je vertelt dat je een sensuele vrouw bent; en als mens, omdat een man je met zijn hele lichaam heeft verteld dat je een schitterend mens bent. Geen seks alsof we allebei dieren waren die een biologische functie vervulden. Of een inwisselbare klomp klei waarop iemand anders lekker klaarkomt.

Keer op keer blijkt uit onderzoek dat intimiteit, warmte en communicatie voor verreweg de meeste vrouwen belangrijker zijn in bed dan opwinding en geilheid. Geil is lekker, maar als ze zouden mogen kiezen, hadden ze liever contact en aandacht. In een onderzoek werd bijvoorbeeld aan vrouwen en mannen gevraagd op het moment dat ze gingen samenwonen, wat ze zich voorstelden van de seksuele kant van de relatie. Twee op de vijf vrouwen had geen idee, maar bijna de helft van alle vrouwen antwoordde spontaan: intimiteit, tederheid en verliefdheid. Van de mannen gaf niet meer dan vier procent aan dat zij naar intimiteit verlangden in bed. Daarentegen stelde een kwart van de mannen duidelijk dat experimenten en afwisseling belangrijk waren voor hen, terwijl geen enkele vrouw in die richting wensen bleek te koesteren.

HET VREEMDE IS dat seksuologen die weten dat vrouwen liefde belangrijk vinden en die hen bovendien dringend adviseren hun eigen behoeften serieus te nemen, diezelfde vrouwen in één adem door vervolgens toch opdragen om de liefde te vergeten en genoegen te nemen met seks zoals we het nu eenmaal kennen – seks waarin het gaat om geilheid en ontlading en beide partners elkaar noodzakelijkerwijze in elk geval tijdelijk tot object maken om dat doel te bereiken.

Het gebeurt telkens weer, in elk artikel dat je leest over het onderwerp, en het lijkt wel of niemand opmerkt hoe onlogisch het is. De deskundigen komen aan het woord, vermelden min of meer terloops dat vrouwen intimiteit belangrijk vinden, en raden vrouwen vervolgens aan om zich aan de mannelijke seksualiteit aan te passen en te doen wat ze kunnen om toch maar opgewonden te raken, bijvoorbeeld door over een andere man te fantaseren, of door hun man uit te leggen waar de knopjes zitten en hoe hij die moet bedienen. Als dat allemaal niet lukt, dan moeten ze hun tegenzin tegen zijn mannelijke aanpak wegslikken, zich vermannen en met hem vrijen op zijn manier, desnoods tegen hun zin.

Zelfs het feministische maandblad *Opzij* bracht eind 2001 nog een themanummer over seks waarin het begrip liefde totaal ontbrak. Een geïnterviewde (mannelijke) seksuoloog was de enige die nog verwees naar iets karakteristiek vrouwelijks in de seksualiteit: 'Gemiddeld gesproken zijn voor veel vrouwen intimiteitsgevoelens een voorwaarde voor seks, terwijl voor mannen vaak geldt dat zij hun intimiteitsgevoelens uit seks halen.' Maar het bleef bij een losse flodder.

'Misschien wordt het wel tijd voor een nieuwe seksuele revolutie,' bazuinde *Opzij*, 'waarin vrouwen eindelijk het juk van zich afwerpen van wat ze allemaal zouden moeten vinden, voelen en doen en de ruimte nemen om te ontdekken wat ze in werkelijkheid willen en voelen.' Het artikel kwam zelfs met de aansporing aan vrouwen om wat zachter te worden. Dat klonk veelbelovend, maar bleek loos trompetgeschal. Want werd daarmee bedoeld dat ze zich vrouwelijker zouden kunnen opstellen? Mochten vrouwen van het feministische tijdschrift eindelijk hardop zeggen dat ze graag wat meer liefde en tederheid wilden in bed? Helaas, nee. Het onderwerp tederheid is kennelijk jaren geleden definitief afgeserveerd, toen er een discussie werd gevoerd over de wenselijkheid of verwerpelijkheid van 'vanilleseks' en goedgebekte feministen luidkeels hun afkeer van de zachte aanpak hadden geventileerd. Diverse deskundigen babbelden in het *Opzij*-artikel wat heen en weer over het probleem dat zoveel vrouwen nog altijd weinig zin hebben in seks. Het artikel eindigde nota bene met de suggestie dat die vrouwen best wel weer eens tegen hun zin zouden mogen vrijen.

'Met zulke feministen heb je geen mannelijke chauvinisten meer nodig,' schreef ik woedend in *de Volkskrant*.

ONDERTUSSEN BLIJKT 'geen zin' inderdaad een veelvoorkomend probleem te zijn voor vrouwen in stabiele relaties. Komt het door de drukte, door tijdgebrek? Voor veel getrouwde of samenwonende stellen is seks na enige tijd iets dat af en toe in vakanties plaats vindt. Er zijn steeds meer mensen die het helemaal maar voor gezien houden en platonisch bij elkaar blijven, al dan niet met seksuele bezigheden buitenshuis. Allerlei bladen brengen tegenwoordig ook alarmerende verhalen over mannen die hoofdpijn hebben als hun vrouw wil vrijen.

Vrouwen die tegen hun zin vrijen, zijn geen populair

onderwerp voor de media. Maar in *Liefdewerk*, met de ondertitel 'Wat het huwelijk echt voor vrouwen betekent', wijdt de Amerikaans-Australische publiciste Susan Maushart er een somber stemmend hoofdstuk aan, met fraaie oneliners als 'Vrouwen die een groot deel van hun vrijgezellenbestaan besteden aan de jacht op seks, merken vaak dat ze in hun getrouwde leven veel tijd besteden aan het vermijden ervan'.

Er is wel iets veranderd sinds de tijd dat echtgenoten zich zwijgend onderwierpen aan hun man, volgens de auteur, maar het is de vraag of dat zo'n verbetering is. Vrouwen moeten namelijk tegenwoordig ook genieten in bed – ook dat zijn ze aan hun man verplicht. 'Als we de recente onderzoeken moeten geloven, is het bekende probleem van het geveinsde orgasme overgegaan in iets veel subtielers en gecompliceerders,' schrijft Maushart. De echtgenotes dienen volgens haar niet alleen een rol te spelen in het seksuele toneelstuk van een ander, maar ze moeten aan *deep acting* doen: een soort zelfbedrog waarbij iemand zichzelf ervan overtuigt – zij het meestal tijdelijk – dat ze echt voelt wat ze geacht wordt te voelen.

'Sekswerk' noemt deze auteur het glashard. 'Een groeiend aantal wetenschappelijke waarnemers begint de stelling te verdedigen dat seks voor veel getrouwde vrouwen gewoon een van de onderdelen van liefdewerk is – een extra manier waarop vrouwen automatisch voorzien in de fysieke en emotionele behoeften van hun mannelijke partners, ten koste van eigen behoeften.' In het moderne huwelijk ervaren vrouwen volgens haar seks niet zozeer als een vorm van ontspanning of intimiteit, maar als een soort werk, een vaardigheid, net als huishoudelijk werk, die ze moeten aanleren. Ter illustratie citeert ze een aantal vrouwen die openlijk toegeven dat ze seks hebben uit plichtsgevoel. Zoals de vrouw die haar man regelmatig op zijn verzoek moet pijpen en dat ervaart als een onaagename klus, omdat ze altijd pijn krijgt in haar kaken. Dat zij zich er niet prettig bij voelt, merkt hij niet en dat vindt ze eigenlijk nog het meest vervreemdend.

Maushart haalt ook een columniste aan die zei een 'gigantisch onderzoek' gehouden te hebben waaruit bleek dat driekwart van de vrouwen in Amerika de seksuele gemeenschap met plezier zou opgeven in ruil voor een beetje tederheid. En passant meldt ze: 'Bijna ieder onderzoeksrapport dat ik heb gelezen, inclusief die van feministen, neemt de mannelijke seksualiteit als het startpunt voor erotisch gedrag binnen het huwelijk.' Het is overduidelijk het seksuele toneelstuk van de man waarin vrouwen moeten meespelen.

Ook uit een enquête van het vrouwenblad *Marie Claire* kwam onlangs naar voren dat veel vrouwen een probleem hebben met zin in seks. Op de vraag wat ze het liefst in hun seksuele leven zouden willen veranderen, was het meest gegeven antwoord: ik wilde dat ik er meer zin in had. En drieënzeventig procent van de respondenten had ingevuld dat ze wel eens net doen alsof ze zin hebben, om hun partner maar zijn zin te geven.

Het glas is misschien wel driekwart leeg.

De redactie vroeg mij een feministisch getint artikel te schrijven. Hoezo zouden we willen dat we meer zin kregen? Als je geen zin hebt, en je bent een vrije vrouw, dan doe je het toch lekker niet?

Dat leek me nogal een armoedige oplossing. Als je geen zin hebt in seks en je partner wel, schreef ik, dan heb je een probleem dat je alleen uit de verte en theoretisch kunt wegwuiven – van dichtbij is het gewoon een probleem.

Hardop zeggen dat je geen zin hebt, is riskant. Het levert vaak problemen op, en zelden helderheid. Hoezo geen zin? Is er iets mis, heeft hij iets verkeerds gezegd? Nee. O, moet je ongesteld worden? Nee! Nou ja, dan verzint hij wel een andere manier om van zijn hitsige bui af te komen. Bah. Hoezo bah? Mag hij ook even ontspannen alsjeblieft?

Maar tegen je zin vrijen is ook riskant. De meeste vrouwen die dat dikwijls doen – hij ligt te hijgen en te pompen en zij hijgt en pompt een beetje mee en even later is het gelukkig weer klaar – krijgen op den duur een hekel aan de man in kwestie. Of zelfs aan mannen in het algemeen. Prostituees worden niet zelden na verloop van tijd lesbisch, of aseksueel. Gewone getrouwde vrouwen worden er trouwens met de jaren ook niet geiler op. Als je van je man houdt, moet je oppassen met zin-loze vrijpartijen.

Het is pure liefde die de *Marie Claire*-lezeressen deed verlangen naar meer zin. Wat zou het heerlijk zijn als ze altijd op het juiste moment de knop konden omzetten. O ja schat, hier ben ik, neem me, fantastisch, ik word al warm, ik word nat, ik bevestig je in je mannelijkheid, ik geef je alles wat je wilt, ik maak je helemaal gelukkig.

Nee, dat vrouwen wensten dat ze vaker zin hadden, daar kon ik helemaal in komen. Natuurlijk zoeken we allemaal koortsachtig naar feministisch-correcte, althans vrouwvriendelijke oplossingen voor het probleem. Niemand van ons wil terug naar de tijd waarin de vrouwelijke seksualiteit eenvoudig ontkend werd. Maar hoe moet het dan?

HOE VEEL VROUWEN het probleem hanteren, konden we eind 2002 lezen in een verhaal van Hans Nijenhuis in NRC *Handelsblad*, waarin hij als reactie op de 'chick lit' van de laatste tijd de kant van de partner belicht. *Chick literature* is het groeiende canon van boeken zoals Helen Fieldings *Het dagboek van Bridget Jones*, Heleen van Royens *De gelukkige huisvrouw* en Allison Pearsons *Hoe krijgt ze het voor elkaar*, waarin moderne vrouwen hun leed klagen over hun drukke en onbevredigende bestaan. In een geestige parodie beschrijft Nijenhuis hoe moeilijk de mannen van die vrouwen het hebben. Neem bijvoorbeeld de manier waarop zijn vrouw en hij naar bed gaan. 'Ik kom ook zo,' zegt hij op haar aankondiging dat ze erin duikt en zij antwoordt: 'Haast je niet.' De geplaagde man vervolgt: 'Als ik dat laatste niet goed heb begrepen en haar toch volg, ligt ze al in die opgekrulde diep-in-slaappose. Of ze gaat juist heel lang op de wc zitten. Of ze houdt haar elektrische tandenborstel de volle twee minuten aan. Leg ik toch mijn hand op haar, dan legt zij hem terug. Dat betekent: Man, zie je niet dat ik doodmoe ben? Of ze pakt hem vast, zodat hij geen kant meer op kan, en nestelt zich met haar rug naar me toe. Signaal: Samen lekker slapen. Soms draait ze zich met een zucht naar me toe. Te verstaan als: Kom dan maar. Als het vrijdagavond is, zegt ze er soms ook nog wat bij: "Als ik dan morgen mag uitslapen."'

Veel mannen herkenden de beschrijving van Nijenhuis ten voeten uit. Wat kunnen zij eraan doen?

Hier een advies van de klassieke Chinese wijsgeer Mencius. 'Wie iemand liefheeft die echter niet op gelijke manier reageert, moet zich naar binnen keren en zijn liefde nader beschouwen.'

Zou er iets mis kunnen zijn met de seks waarin vrouwen geen zin hebben?

OVER GEEN ENKEL onderwerp wordt zoveel gelogen en worden er zoveel halve waarheden verteld als over seks. Het onderwerp raakt iedereen persoonlijk en op een uiterst kwetsbare plek, die van de seksuele identiteit, van ons lichamelijk zelfvertrouwen. Ben je wel vrouw genoeg, respectievelijk een viriele man? Maar soms flitst er een straaltje eerlijkheid door de rookgordijnen heen.

Ik moest eens voor een weekblad een kringgesprek houden met een stel vrouwen over de vraag of seks en liefde samengaan, of de seks wel sexy kan blijven in een langdurige stabiele liefdesrelatie. Een van de vrouwen zei openhartig: 'Ik vind het moeilijk. Je ligt in bed en hebt het knus samen en dan wil hij ineens vrijen. Dan moet ik mezelf daar echt toe brengen. Want juist als er liefde is, verdraag ik het eigenlijk niet dat hij klaarkomt boven op me met zijn ogen dicht. Ik voel me zo inwisselbaar, het maakt niet uit of ik er lig of een opblaaspop. Alleen als je niet echt met liefde bezig bent, is zulke seks om de seks oké, want dan geeft het niet als je egoïstisch bezig bent, dan doe je dat gewoon allebei.' Bijna alle vrouwen waren het daarmee eens, en ik nam het op in het artikel. De redactie schrapte de passage en kopte zelfs boven het verhaal: 'Hoe vertrouwder we raken, hoe fijner de seks.' Alsof dat onze conclusie was geweest.

Kennelijk was er een taboe geraakt.

ZIJN WIJ WEL ZO bevrijd van de achterhaalde seksuele eisen aan vrouwen?

De coïtus lijkt op het eerste gezicht geen dienst meer die vrouwen aan mannen bewijzen. Maar in de praktijk komt het er vaak op neer dat vrouwen er nog een plicht bij hebben gekregen: ze moeten niet alleen de man bedienen met seks, op zijn condities, maar ze moeten er ook *op zijn condities* van genieten. Veel tijd en moeite is gestoken in onderzoeken die moeten bewijzen dat vrouwen op exact dezelfde manier en van exact dezelfde soort seks genieten als mannen. Vrouwen zouden even vaak vreemdgaan als mannen. Vrouwen zouden net zo opgewonden raken van pornografie als mannen – zo niet direct, dan toch zodra ze wat meer geëmancipeerd zouden zijn en eerlijk toe zouden geven dat ze porno lekker vinden. Vrouwen worden lichamelijk opgewonden van seksueel expliciet materiaal, zelfs van beelden van verkrachtingen, ook als ze preuts en geremd beweren dat ze er niets aan vinden. Vrouwen zouden net zoveel experimenteerdrang hebben als mannen, als ze maar durfden, en evenzeer naar variatie verlangen in bed. Orgasmes zouden ook voor vrouwen het enige doel zijn van de geslachtsdaad.

En altijd waren er wel vooraanstaande vrouwen genoeg te vinden die heftig instemden met de moderne conclusies.

SEKS HEEFT IN onze cultuur weliswaar vrijwel niets meer te maken met het verwekken van nageslacht, behalve tijdelijk voor koppels die bewust een baby willen maken. Maar de voortplanting is door de wetenschap zo geregeld dat er geen moment getornd wordt aan het patriarchale principe dat een zaadlozing het werkelijke doel is van de gemeenschap. Geen kwaad woord over de pil. Ik zou niet durven en het zou hypocriet zijn, want ik heb er zelf dankbaar gebruik van gemaakt. Liever met ons allen aan de pil dan die vijfhonderdduizend vrouwen per jaar die sterven door ongewenste zwangerschappen en mislukte abortussen. Maar met enige verbeelding kun je je voorstellen dat een minder eenzijdig geöriënteerde wetenschap de oplossing ergens anders had gezocht dan in de baarmoeder. Waarom moet een man tientallen duizenden keren ejaculeren, ook als hij maar twee of drie kinderen wil verwekken? Vanwaar die zwembaden vol sperma die dagelijks in de hele wereld vruchteloos worden volgespoten? Is klaarkomen als doel van de seksuele ontmoeting niet een vorm van escapisme voor veel mannen, een vlucht uit de stress van alledag, waarvoor ze vrouwen gebruiken?

Er zijn allerlei groepen geweest die het voor mannen wenselijk achtten hun zaadlozing te leren beheersen, zonder dat dit ten koste ging van het seksuele genot – daarover later in dit boek meer. Het idee is soms dat de man sterker en krachtiger wordt door beheersing, een mannelijker man en een betere minnaar; soms dat de liefde tussen de partners beter bewaard blijft als de man zijn lust in dienst stelt van het genot van de vrouw. Maar het zijn randverschijnselen in onze huidige cultuur, obscure bewegingen die de serieuze pers niet halen. Waarom? *'Every sperm is holy,'* zong Monty Python in een verrukkelijke persiflage op het katholieke verbod op voorbehoedsmiddelen. Die gedachte lijkt archaïsch, maar hij is vervangen door een andere, minstens even eenzijdig masculien: elke zaadlozing is heilig.

In pornografie is het mannelijk orgasme het hoogtepunt van alle actie – een 'kum-shot' is ook financieel het meest waardevolle onderdeel van een seksfilm. Vrouwelijke orgasmes zijn tegenwoordig ook verplicht, niet alleen in de seksindustrie maar ook in het doorsnee liefdesleven, want vrouwen moeten laten zien dat ze genieten. Maar de vrouwelijke orgasmes mogen niet al te veel afwijken van de mannelijke. De juiste, voorgeschreven en algemeen aanvaarde procedure is: toenemende opwinding gevolgd door ontlading. Klaar. Statistisch is vastgesteld dat een man er gemiddeld elf minuten over doet om klaar te komen en een vrouw zevenentwintig, dus in het beste geval is het een kwestie van het overbruggen van die zestien minuten. En ze moet natuurlijk niet zeuren als hij eens een vluggertje wil.

Nadat mannen en vrouwen samen millennia lang volstrekt hadden ontkend dat er zoiets bestaat als een vrouwelijke seksualiteit, kregen vrouwen die plotseling in hun schoot geworpen. Maar hij leek wel als twee druppels water op de seksualiteit van de man.

De seksualiteit van een vrouw staat niet meer ter beschikking van haar wettige eigenaar(s), dat is waar. Maar daar staat tegenover dat het vrouwelijk lichaam in onze tijd vrijelijk ter beschikking staat van alle mannen, altijd en overal, open en bloot: op televisie, billboards, internet, in de seksindustrie en in de media. Alle vrouwen moeten alle mannen behagen – het is een dwingende eis van onze cultuur geworden. Ook nu hebben de meeste vrouwen de masculiene eisen radicaal verinnerlijkt en zich ermee geïdentificeerd.

Houd op over die prins, meisje... Je bent zelf niet meer dan een kikker.

HOOFDSTUK 3

Wrattige padden kussen

Zomer 2002. Wandeling door het park. Ik buk me om
een stukje zwerfvuil van het gras op te rapen en zie dat
het een flyer is voor een feest in een discoclub, uitgevoerd in zwart, rood en vleeskleur. 'Pervert Fetish Par-
ty' staat er, met als wervend beeld een jonge vrouw met
woeste blik, wijdbeens in een strakke leren broek op
een motorkap zittend en haar borsten ontblotend.
Daarvoor nog een klein fotootje van een bijna naakte
vrouw die prutst aan een schoenriempje. Achterop informatie over de 'strict dress code': 'pvc, leather, rub-
ber, uniform, plastic', en de speciale attracties van de
feestelijke bijeenkomst. Behalve muziek en dj's zullen
er ook whirlpools zijn op het feest, er komen playrooms
en darkrooms, sm-acts, dildo-acts, gogo-fuckers, ca-
ges, mistresses, doorbitches en 'many changing rooms
and lockers'.

Wij zijn door en door seksueel bevrijd, schreeuwt het
pamflet. Alles mag hier, en alles kan. Inderdaad zijn we
aan het begin van het derde millennium op seksueel gebied volstrekt ontremd. Aan die seksuele bevrijding heb
ik zelf indertijd nog voortvarend meegewerkt. Mijn generatie, geboren in het eerste decennium na de Tweede
Wereldoorlog, las in de jaren zestig en zeventig Jan Cre-
mer niet alleen omdat het opwindend leesvoer was,
maar ook om zichzelf seksueel te bevrijden. De plastisch vertelde anekdotes en de soms bizarre adviezen

van seksuologen in het weekblad *Aloha* waren evenzovele uitingen van het verlangen om vrij te zijn. Een briefschrijfster onthulde bijvoorbeeld dat ze een gaatje maakte in de balzak van haar minnaar en daar een rietje in stak, waardoor ze blies. Dat gaf hem een gigantische kick – en haar dus ook, dat sprak vanzelf. Het antwoord van het blad was dat ze het beter niet kon doen omdat de bacteriën in haar mond gevaarlijk waren. Een andere schrijfster vertelde dat ze had ontdekt dat sperma anders smaakt naargelang de maaltijd die de man in kwestie genuttigd had. En als je in bed je vaginale spieren aantrok, had je grote kans dat je bedpartner met een waarderende grijns vroeg of je die truc ook uit de *Aloha* had.

Phil Bloom op de televisie en de naakte vrouw op de PSP-verkiezingsposter verbraken ketenen die vorige generaties hadden geknecht. Dat het boek van De Sade, *De honderd dagen van Sodom*, als een soort sociale verplichting of initiatierite de ronde deed in mijn eindexamenklas, was onderdeel van dit dappere streven naar vrijheid. En dat ik na enkele tientallen bladzijden kokhalzend moest stoppen met lezen en dagenlang iedereen die ik tegenkwam, bekeek met een soort existentiële walging – ook jij bent een mens, en ik weet nu waartoe mensen in staat zijn – ach, dat hoorde erbij. Het was vreemd, maar het was ook spannend en als je mee wilde in deze bevlogen bevrijdingsbeweging, dan moest je ertegen kunnen.

WE WAREN BEZIG met iets groots en gedurfds. Onze seksuele energie zou vanzelf ongeremd gaan stromen, we zouden opbloeien als geheelde mensen, we eisten ons geboorterecht op seksuele vrijheid.

Vrouwenbevrijding hield in dat ook vrouwen genoten van 'ritsloze nummers' zoals Erica Jong het noemde in haar bestseller *Fear of Flying*. Trouwens – haar heldin vree er volstrekt bandeloos op los en kreeg toch een happy end, compleet met liefhebbende man. Kikkers veranderen kennelijk in prinsen als je ze maar ongeremd genoeg kust.

DE VRIJHEID HEEFT de vorm aangenomen van een immer aanzwellende stroom seksueel expliciete informatie, die als een open riool door onze maatschappij gutst. Seks is overal, onontkoombaar, open en bloot in het publieke domein aanwezig. Ook in min of meer onschuldige tijdschriften, de 'half-blootbladen' wemelt het tussen de serieus bedoelde artikelen door van advertenties met expliciete of suggestieve seksplaatjes. De afgebeelde vrouwen zijn anonieme lustobjecten, verzamelingen erogene zones met hier en daar een gat. Een groot deel van de echte pornografie bestaat uit gewelddadige taferelen waarin mensen – doorgaans jonge vrouwen – min of meer ernstig seksueel worden misbruikt of zelfs openlijk mishandeld. Een pornosterretje vertelde in een interview dat ze voortdurend vaginale infecties had door alle vreemde voorwerpen die in haar lichaam werden gebracht, ter opwinding van de kijkers.

De seksindustrie is de enige industrie die nog nimmer een recessie heeft gekend. Op ongekend grote schaal wordt geld verdiend aan het exploiteren van het vrouwelijk lichaam als object – zonder gevoel, zonder romantiek, zonder contact, zonder menselijke kwetsbaarheid, in een 'wereld van onverschilligheid' zoals Willem Jan Otten, intellectuele porno-kenner, het eens formuleerde.

Een opvallend kenmerk van porno is dat alle teder- heid en intimiteit erin ontbreekt. Het is hard en uitda- gend, vrijblijvend, gevoelloos. Het gaat om veel en vaak en telkens weer anders, om prikkeling en opwinding, gevolgd door ontlading. Niemand wordt er dan ook milder van, of ontvankelijker. Geen vrouw voelt zich meer gewaardeerd als mens door naar een seksshow op de televisie te kijken of pornografische plaatjes van het internet down te loaden. Geen schoolmeisje krijgt meer zelfvertrouwen als ze in *Hitkrant* leest hoe een vijftien- jarige leerlinge haar biologieleraar pijpt.

Integendeel.

De criminoloog Hans Boutellier beschreef in het hoofdstuk 'De pornografische context van zedendelic- ten' (in *Jeugd en seksueel misbruik*, Justitiële verken- ningen, jaargang 26 nummer 6, herfst 2000) hoe schi- zofreen onze maatschappij met seks omgaat. Aan de ene kant beschouwen we mannen en vrouwen als vol- komen gelijkwaardig en stellen we hoge eisen aan rela- ties in de zin van intimiteit en zelfcontrole. Aan de an- dere kant is er een overvloedig aanbod aan pornografie waarin vrouwen stelselmatig onderdrukt en vernederd worden. 'Alleen in de pornografie is het vrouwelijke lustobject nog op een vanzelfsprekende manier be- schikbaar voor de man.'

Amerikaans onderzoek uit 1995 toonde aan dat ne- gentig procent van de jongens en zestig procent van de meisjes van veertien jaar ooit een pornografische film hadden gezien; eenderde van de jongens zag er een min- stens eenmaal per maand en ongeveer evenzoveel jon- gens beschouwde pornografie als de belangrijkste bron voor hun seksuele opvoeding. De cijfers zullen er in de tussenliggende jaren niet geruststellender op zijn ge- worden.

34

Boutellier verwees naar de Amerikaanse schrijfster D. Russell, auteur van *Dangerous Relationships – pornography, misogyny and rape*. Russell verzamelde onderzoeksgegevens waaruit blijkt dat porno verkrachtingsfantasieën stimuleert, dominantie en onderschikking seksualiseert, een behoefte creëert aan *'stronger material'*, mannen desensitiveert voor verkrachting, verkrachting trivialiseert, de acceptatie van interpersoonlijk geweld bevordert, de angst voor sociale sancties en voor afwijzing door leeftijdgenoten ondermijnt en – *last but not least* – de weerstand van vrouwen ondermijnt om vernedering af te wijzen.

'MENSEN DIE KIND waren in de tijd voordat pornografie algemeen werd,' zei de Amerikaanse feministe en schrijfster Naomi Wolf in een interview dat ik met haar had voor een vrouwenblad, 'hebben nog een bepaalde onschuld. Die kunnen zich nog voorstellen dat seks ooit vrij zou kunnen worden. Wij die opgroeiden met pornografie alom, konden dat niet meer – onze verbeelding lag aan de banden van de porno. Die heeft zijn eigen regels, verwachtingen, verplichtingen.' In haar boek *Verwarrende tijden* betoogt zij dat de fatsoensrem van de ouderwetse seksuele moraal weliswaar is opgeheven, maar dat daarvoor in de plaats slechts een klinisch-technische benadering van seks gekomen is die jonge mensen, vooral opgroeiende meisjes, pijnlijk in de kou laat staan. Voor hun kwetsbaarheid en gevoeligheid is geen plaats. Naar hun werkelijke verlangens en behoeften wordt niet geluisterd. En om hen heen woekert de porno-maatschappij.

Ik heb aan mijn dochter gezien hoe meisjes rond hun elfde, twaalfde een psychische metamorfose ondergaan. Van openhartig naar ingetogen, van branie-achtig naar preuts. Ronde schoudertjes, zijdelingse blikken. Voor mijn ogen verloor mijn kind haar fysieke onbevangenheid en naast haar lopend door de stad begreep ik waarvoor zij zich voortdurend moest afschermen: voor de openlijk seksueel-geïnteresseerde en inschattende blikken van jongens en mannen.

Pijnlijk in mijn herinnering gegrift staat de avond dat ik mijn dochter, toen een jaar of veertien, met twee even oude vriendinnen naar een schoolfeest zou brengen. De drie meisjes verdwenen eerst bij mij thuis naar boven en een uur later daalden ze de trap af als stralende nimfen, met oogmake-up en strakke truitjes, kettinkjes en schitterdingetjes in het opgestoken haar – prille, volmaakt onschuldige schoonheden met ogen vol hoop en romantische verwachting.

Bij aankomst op school was de zware ritmische boem-boem-boemdreun van de muziek die uit de schoolaula opsteeg al van ver te horen. Achter de donkere ruiten zag je flitsend licht en vage schimmen van grote jongens. Het zag er onheilspellend uit – een soort rovershol, waarin ik deze prinsesjes moest achterlaten. Toen ik ze later die avond ophaalde zaten er drie stille kinderen achter in de auto. 'Hoe was het?' 'O, leuk.'

Inmiddels is een feest in de schoolaula al ouderwets. Schoolfeesten worden gehouden in disco's – hetzelfde soort disco's dat Pervert Parties organiseert zoals in de flyer die ik vond, werd aangekondigd.

WAAROM WILLEN ZOVEEL jonge, geëmancipeerde en seksueel bevrijde vrouwen nog altijd romantisch trouwen in een klassieke bruidsjurk? vraagt Naomi Wolf zich af in haar boek *Verwarrende tijden*. In zo'n jurk voelt een vrouw zich die ene dag kostbaar, is haar antwoord. 'We zijn weer een schat geworden. In het wit krijgen we onze maagdelijkheid terug, die symboliseert dat de seksuele toegang tot ons iets bijzonders is... Eén dag lang aanbidden mannen de godin van de vrouwelijke seksualiteit.'

Eén dag. De rest van de tijd leven we in de realiteit van de porno-maatschappij. Meisjes ontdekken in de puberteit dat ze in een cultuur leven die het vrouwelijk lichaam genadeloos tot object maakt. Om zich te pantseren tegen de pijn van die liefdeloze benadering moeten de meisjes van nu assertief zijn en dat worden ze dan ook – agressief zelfs, ten minste even grof gebekt als jongens, vaak nog grover. Ze durven alles.

'Ik was gisteren in een seksshop hier,' vertelde Naomi Wolf mij tijdens het interview dat plaatsvond in hartje Amsterdam. 'Het was een shop gespecialiseerd in bondage. Er liepen twee meisjes naar binnen van een jaar of zeventien met frisse jonge gezichten. Ze zagen er gelukkig uit, het waren duidelijk meisjes uit prettige gezinnen. Ze giechelden omdat ze een seksshop binnenkwamen en al dat leer zagen en de bizarre voorwerpen. Ik dacht: het is hoogst onwaarschijnlijk dat de natuurlijke seksuele behoefte van zeventienjarige meisjes uitgaat naar bondage. Ik dacht: dat is geen vrijheid. Vrijheid is als je je in je eigen natuurlijke ritme kunt ontwikkelen en je eigen behoeften kunt ontdekken, en dat je niet gedwongen wordt die volwassen neuroses van anderen te absorberen. Wat volwassenen doen, moeten ze zelf weten – maar het opleggen van deze volwassen psychodrama's aan opgroeiende kinderen, daar zouden we toch meer mee moeten oppassen.'

MAAR WIJ KUSSEN wrattige padden, in plaats van ze razend van woede tegen de muur te smijten.

Dat iedereen gelooft dat de prinses de kikker kust, loopt parallel met het feit dat het merendeel van de vrouwen – de vrouwenbeweging voorop – de primitief-mannelijke visie op seks omarmt. Vrouwen denken dat ze geëmancipeerd zijn als ze blijmoedig toelaten dat hun lichaam tot anoniem object gemaakt wordt, en als ze zelf hun best doen het mannelijk lichaam ook als lustobject te benaderen.

Ondertussen wordt de seks in het publieke domein alsmaar harder en gevoellozer. Door onze hele cultuur dreunt het opgejaagde ritme van gewelddadige lust. *Fuck, fuck, fuck. Pump up the jam! Smack my bitch up!* Neuk, neuk, neuk, pomp die geile kwak omhoog, de beuk in die teef, rot op met je gezeik, wijf.

Een halve eeuw geleden was vrijwel alle populaire muziek romantisch; de man kwam uit zijn harde man-nenwereld vandaan om de vrouw het hof te maken. De zaken gingen natuurlijk voor het meisje, maar roman-tiek had in de marge wel bestaansrecht. Er bestond nog zoiets als vrouwelijkheid, als het rijk van de vrouw. Het was een piepklein, dodelijk saai huis-, tuin- en keuken-rijkje, maar er was tenminste nog een flauwe notie dat je als man je hoed af nam als je er binnentrad.

Nu is het meest romantische dat je tegenkomt in de popmuziek bijvoorbeeld het door merg en been drin-gend klaaglied van de zangeres van Portishead: 'Give me a reason to love you... Give me a reason to be – a wo-man.' Is er voor de vrouwen van nu nog een reden om een vrouw te willen zijn? Vrouwelijke rappers en pop-sterren kunnen nog zo treurig zingen over slechte man-nen, verraderlijke mannen, ontrouwe mannen en de pijn die dat allemaal veroorzaakt – het vormt alleen een achtergrondruis, waartegen de mannen des te stoerder en virieler afsteken. Geen man denkt er nog aan om uit zijn harde mannenwereld vandaan te komen om zoiets vaags als het rijk van de vrouw binnen te gaan. Er is geen rijk meer van de vrouw; dat hebben vrouwen opgegeven. Ze hebben zich vermand. Met het badwater van de beperking tot huis, tuin en keuken is de baby van de vrouwelijkheid door het gootsteenputje verdwenen.

In de realiteit van relaties verliezen steeds meer vrouwen elke spontane aandrang tot seksuele gemeenschap met de man met wie zij bed en tafel delen. Veel mannen verliezen trouwens ook hun seksuele belangstelling voor hun eigen vrouw. Internet en de televisie zijn geiler.

Uiteindelijk is na jaren alleen nog angst over: krijg ik hem nog overeind? Word ik nog wel nat? Maar daar hebben we dan zalfjes en pilletjes voor.

HOOFDSTUK 4

Een onveilig kutgevoel

Altmans geestige film *Prêt-à-porter* was op de televisie en ik keek ernaar met mijn zoon, die toen veertien jaar was. Aan het eind kwam de beroemde scène met de naakte modeshow. Een stuk of twintig topmodellen lopen poedelnaakt over de catwalk, langzaam draaiend alsof zij kleren showen en de kijker is een gedegen blik op hun frontale naaktheid gegund.

'Als je nou straks een vriendinnetje krijgt,' zei ik tegen mijn zoon, 'en dat meisje blijkt veel meer krulletjes te hebben op haar poes dan deze dames, dan moet je niet denken dat er iets mis met haar is, hoor.' De modellen hadden namelijk zonder uitzondering slechts een ragfijn streepje keurig getrimd schaamhaar. Net als de modellen in de blootbladen van tegenwoordig. Net als talloze gewone meisjes, overigens, die gehoorzaam hun schaamhaar epileren omdat het mode is, zoals bijvoorbeeld bleek uit een wervende kop van het populaire weekblad *Viva*: 'Heb jij al een streepje voor?'

Het leek me niettemin verstandig om mijn zoon te waarschuwen. Van de Victoriaanse kunstcriticus John Ruskin wordt verteld dat hij in zijn eerste huwelijksnacht op slag impotent werd, toen hij ontdekte dat zijn bruid een volle bos schaamhaar bezat. Dat had hij nog nooit gezien, want de naakten in de schilderijen die hij kende, hadden zonder uitzondering gladde, kale venusheuvels. Hij dacht dat hij een monster had getrouwd.

Als het zo doorgaat met de streepjes-voor, weten onze jongens en mannen binnenkort niet veel meer dan de Victorianen. Zoveel weten ze toch al niet over vrouwelijkheid.

SCHOLEN DOEN HUN best hun leerlingen technische en klinische informatie te geven over seksualiteit, met de nadruk op voorbehoedmiddelen tegen zwangerschap en seksueel overdraagbare aandoeningen. Maar informatie is niet hetzelfde als waarheid en dat blijkt nergens zo schrijnend als op dit gebied. Blinde vlekken, vooroordelen, oogkleppen en tunnelvisies bepalen wat er wel en niet bekend raakt en wat onbesproken blijft. En de blikrichting is doorgaans mannelijk, van mannen zowel als vrouwen.

Hoeveel mensen weten dat de clitoris niet alleen bestaat uit dat gevoelige knopje aan de buitenkant, maar dat het een orgaan is als een soort omgebogen katapult, met twee lange uitlopers die ver naar binnen doorlopen en dat dit geheel opzwelt met bloed bij het vrijen? Het hele clitoraal-of-vaginaal-orgasmedebat van de jaren zeventig was dan ook volkomen futiel, want de vagina is een geheel: alles wordt met extra bloed gevuld bij het bedrijven van de liefde, alles zwelt en climaxt, alles wordt sappig en vochtig. Clitoridectomie, vrouwenbesnijdenis, is niet alleen misdadig maar ook volstrekt nutteloos, want alleen de buitenkant weghalen belemmert een orgasme niet – tenzij het meisje natuurlijk door de verminking zo getraumatiseerd is dat ze niet meer aan seks moet denken.

Hoeveel mensen weten dat vrouwen ook prostaatweefsel hebben dat rond hun urinebuis ligt, dat dit gevoelige weefsel de achtergrond is van de beroemde Gplek en dat hieruit een vrouwelijk ejaculatie-vocht in overvloedige stromen tevoorschijn kan komen bij veelvuldige orgasmes?

Hoeveel mensen weten dat er net zoveel verschillende vulva's bestaan als monden en neuzen en harten en penissen? Er lijkt publiekelijk nog maar één soort in de gratie te zijn: het ultrastrakke, vrijwel haarloze, droge, ingehouden, om niet te zeggen infantiele pruimpje van de doorsnee Playmate. Plastisch chirurgen krijgen steeds meer vrouwen op hun snijtafels die precies zo'n vulva willen hebben, omdat ze denken dat ze anders afstotelijk lelijk zijn. Een privé-kliniek in Beverly Hills verricht dertig van dit soort operaties per maand en het aantal aanmeldingen stijgt sterk. De meeste vrouwen willen hun binnenste schaamlippen, de *labia minora*, laten bijknippen zodat ze niet meer uitsteken voorbij de buitenste lippen, de *labia majora*, want ze denken dat dat eigenlijk niet hoort. Het is een bizarre vorm van zelfopgelegde vrouwenbesnijdenis, net als de andere vormen van vrouwenbesnijdenis geëffectueerd door vrouwen zelf, die de afwijzing van de vrouwelijke seksualiteit in al haar volheid en variatie volledig hebben verinnerlijkt.

Vergelijk dat eens met het oude Arabische liefdesboek, *The Perfumed Garden,* waarover Rufus Camphausen schrijft en dat achtendertig varianten van die hemelse poort noemt in liefdevol detail. Volgens Sheikh Nefzaoui zijn er korte vulva's en lange, rusteloze en gelijkmoedige, vulva's met dikke lippen en met dunne lippen, enzovoort enzovoort. En allemaal zijn ze heilig, lees ik in Camphausens boek *The Yoni – Sacred Symbol of Female Creative Power*, over de verering van de vulva in zeer oude culturen en religies. Waar de godin vereerd werd, stond de kut voor het toppunt van heilig-heid. Mannen probeerden hun ejaculatie zoveel moge-lijk tegen te houden, want het doel van de liefdesdaad was om de vrouw maximaal aan het climaxen te krij-gen. Op allerlei manieren moest de man de kostbare vrouwelijke sappen en energieën zien te absorberen. Dat deed hij door haar langdurig en aandachtig te pene-treren met zijn eigen heilige liefdesorgaan, totdat haar schoot overvloeide van melk en honing; door de geur op te snuiven en het vocht in te drinken – en door de yoni met hoofd, hart en handen, en met al zijn zintuigen te aanbidden. Hun wederzijdse adoratie vormde een ere-dienst.

HET MEEST GEBRUIKTE lespakket dat op middelbare scholen dienst doet om kinderen seksuele opvoeding te geven, getiteld *Lang leve de liefde*, meldt niets van dit alles. Dat zou ook niet kunnen, want het voornaamste onderwerp van dit pakket is, de misleidende titel ten spijt, niet de liefde maar het voorkomen van seksueel overdraagbare aandoeningen en ongewenste zwanger-schappen bij tieners. Een belangrijk doel, natuurlijk. TNO Nederland publiceerde onlangs nog alarmerende cijfers over toenemende aantallen zwangerschappen en geslachtsziekten onder tienermeisjes. Maar ik zet een levensgroot vraagteken bij de vanzelfsprekendheid waarmee van seks een handeling gemaakt wordt die niet dieper reikt dan de opperhuid en waarbij hygiëne en anticonceptie in het brandpunt van de belangstelling staan.

Jonge meisjes zijn uiterst kwetsbaar voor de enorme emotionele impact die seks heeft. Het is niet voor niets dat Doornroosje honderd jaar moet slapen tussen het moment dat zij zich aan de spintol prikt – symbolisch voor de eerste menstruatie – en het moment dat zij seksueel wakker gekust kan worden door een liefhebbende prins. Je moet als vrouw niet alleen lichamelijk, maar ook psychisch en gevoelsmatig rijp zijn om een man te kunnen nemen. En je moet een stevige dosis zelfvertrouwen hebben om tegen een kikker te kunnen zeggen: tot hier en niet verder.

Ook in een recent rapport van de Rutgers Nisso Groep blijkt de kwetsbaarheid van meisjes: 'De meisjes rapporteren in vergelijking met de jongens meer gevoelens van onzekerheid, schuld en schaamte en waarderen vooral de relatiegerichte aspecten van seks. Jongens zijn daarentegen meer gepreoccupeerd met seks en waarderen juist de lichaamsgerichte aspecten van seks meer dan meisjes.'

Relatiegericht versus lichaamsgericht – het lijkt bedrieglijk gelijkwaardig. De realiteit is dat de seks waarmee onze maatschappij onze kinderen overspoelt, extreem lichaamsgericht is. Jongens – die volgens hetzelfde rapport hun informatie over seks voornamelijk krijgen via de televisie en internet – worden voortdurend bevestigd in hun lichaamsgerichte benadering. De seksuele partner is daarin een lichaam, een object dat je naar believen consumeert. Niet dat dit jongens helpt. 'Bladen zoals *Break Out* schrijven over seks alsof het iets is wat je in je eentje doet,' zei een zestienjarige jongen. 'Alsof je in je eentje iets moet presteren. Als je nog maar weinig ervaring hebt, word je daar onzeker van.'

Tienermeisjes zijn – hoe grofgebekt ze soms ook tekeergaan – niet weerbaar genoeg om zich in echte ontmoetingen zelfbewust staande te houden met hun 'relatiegerichtheid', lees: hun verlangen naar liefde. Juist dat verlangen maakt ze kwetsbaar en geneigd tot toegeven aan de verwachtingen van jongens, die bovendien nog eens bekrachtigd worden door de overdonderend lichaamsgerichte sekscultuur waarin ze opgroeien.

RUIM EEN VIJFDE van de vmbo-scholieren van veertien jaar heeft al eens seks gehad en bijna tien procent van de dertienjarigen, bleek uit het onderzoek van de Rutgers Nisso Groep.

Het is niet verwonderlijk als jongeren op steeds jongere leeftijd beginnen met seks. Tieners zijn op zoek naar lichamelijke kicks, naar manieren om hun grenzen te verkennen en te overschrijden, naar mogelijkheden om zichzelf te ervaren in confrontaties met anderen. Die kicks en mogelijkheden zijn schaars voorhanden in het doorsnee tienerbestaan anno nu. Seks biedt het ze echter in ruime mate, net als drugs en criminaliteit. Maar seks is bij wijze van spreken overal en altijd in de reclame. Bovendien is de leeftijd waarop kinderen lichamelijk geslachtsrijp worden, al sinds decennia aan het dalen.

Maar je moet wel zwaar mentaal gepantserd zijn om niet een onbehaaglijk gevoel te krijgen van onderzoeksgegevens zoals bovenstaande. Onze cultuur vertoont – de openbare verontwaardiging ten spijt – steeds meer pedofiele trekken. Kinderkleding is meer en meer seksueel uitdagend en de Hema verkoopt strings voor negenjarige meisjes; fotomodellen worden op steeds prillere leeftijd in sexy poses aan het publiek gepresenteerd. Het zijn bijverschijnselen van een proces waarin seks steeds meer ontdaan is van zijn existentiële en spirituele betekenis.

Seks is er alleen voor het lekker. Seks is een spel. Voor

spelletjes hoef je niet volwassen te zijn of in staat tot het nemen van verantwoordelijkheid. De enige verantwoordelijkheid die de gangbare cultuur op het gebied van seks erkent, is die voor het vermijden van ongewenste zwangerschappen, geslachtsziekten en verkrachting.

Waar blijven jonge mensen met hun romantische idealen? Hoe kunnen meisjes nog prinses worden in het diepst van hun gedachten, en jongens prins?

OOK HET SCHOOLBOEK *Verzorging in de basisvorming* dat bij mijn kinderen op school gebruikt werd, repte met geen woord over de heiligheid van de vulva. Het enige dat uitgebreid besproken werd, was de noodzaak voor meisjes om hun geslachtsdeel goed schoon te houden. Alsof dat nodig was en de televisiereclame voor inlegkruisjes vrouwen en meisjes niet al dag in dag uit bombardeert met de suggestie dat ze een bron van onwelriekendheid tussen hun benen hebben die ze alleen met bergen hagelwitte miniatuur-luiertjes in bedwang kunnen houden. *Vrij Nederland* schreef daarover eens: 'Schoon, wit, glad en reukloos zijn de trefwoorden in dit media-bombardement. Zodat vrouwen nog meer schrikken als hun eigen kruisje warm, vochtig, harig en vlezig blijkt te zijn.' Geen wonder dat zoveel meisjes angstige vragen stellen aan de adviesrubrieken in de jeugdbladen over de geur van hun vagina.

De waarheid is dat een gezonde vagina verrukkelijk ruikt, met vleugjes vers brood, muskus, kruiden. Wat de vagina doet stinken zijn infecties; het gebruik van inlegkruisjes, die namelijk in combinatie met de normale vaginale afscheiding een lichte ammoniakgeur veroorzaken; en in sommige gevallen ook sperma. Het is mij niet helemaal duidelijk wanneer sperma stinkt; het heeft ongetwijfeld te maken met de lichamelijke conditie van de man, maar misschien ook met de context van de seksuele ontmoeting. Franse hoeren werden in elk geval *putains* genoemd, van *puer* = stinken, omdat ze een vis-achtige geur afscheidden uit hun kruis.

Maar om het gezonde vaginale parfum te kunnen waarderen, moet je een seksueel volgroeide, vitale, heteroseksuele man zijn. Dat de dichter Gerrit Komrij jaren geleden in zijn column achter op NRC *Handelsblad* regelmatig honend schreef over de 'onwelriekende gleuvenbrigade' waarmee hij vrouwen in het algemeen bedoelde en feministen in het bijzonder, zei waarschijnlijk alleen iets over zijn persoonlijke probleem met vrouwen. Dat er nooit iemand protesteerde, zei iets over het probleem met vrouwelijkheid van onze hele maatschappij.

IN EEN INTERVIEW van enkele jaren geleden werd Cisca Dresselhuys, hoofdredactrice van het feministische tijdschrift *Opzij* gevraagd of zij soms ook vond dat 'het vrouwelijke' opgewaardeerd diende te worden. 'Hè jasses!' was de reactie van Dresselhuys.

Het is begrijpelijk dat vrouwen die serieus genomen willen worden in een mannenmaatschappij zich afkeren van alles wat geassocieerd wordt met irrationeel, sentimenteel, en manipuleerbaar.

Daarbij komt dat de voortplanting als zodanig een technisch-medische aangelegenheid geworden is, gedomineerd door mannen. Er is niets mysterieus meer aan de vrouwelijke seksualiteit, laat staan iets heilig.

'Ontzettend veel vrouwen,' zegt seksuologe Marijke IJff in het boek *Het geminachte lichaam*, 'kijken negatief naar hun eigen geslachtsdelen. De vrouwenbeweging van de jaren zeventig had het vrouwelijk geslachtsdeel op de agenda gezet. Maar net toen we er aardigheid in begonnen te krijgen, werd het woord 'kut' tot scheldwoord gebombardeerd en daarmee werd het weer een inferieur lichaamsdeel.'

'Kut' verdringt in het openbaar zowel het zelfstandig naamwoord 'lul' als het bijvoeglijke naamwoord 'lullig'. Wij hebben het over 'kutmarokkanen' en 'kutklusjes', geen enkel kwaliteitsmedium mijdt het woord nog en zelfs het christelijke maandblad *Reveil* citeerde *unverfroren* Trijntje Oosterhuis die vertelde wat de scheiding van haar ouders op haar vijfde haar had bezorgd: 'een onveilig kutgevoel.'

Het woord kut komt van de naam van een vroege Griekse vruchtbaarheidsgodin, Kunthus. De waarheid over de kut is natuurlijk dat zij de poort is naar het paradijs. Door die poort, geopend door de liefdevolle penis, bereiken man en vrouw beiden het paradijselijke genot van het vrijen. En het is de poort naar die goddelijke staat van permanent welbehagen waar we allemaal uit voortkomen – de baarmoeder. Als mijn kinderen het woord gebruiken als krachtterm, corrigeer ik ze door het woord te vervangen door 'poort naar het paradijs'. 'Wat een kutapparaat!' 'Bedoel je wat een poort-naar-het-paradijsapparaat?'

Kut is het meest onzinnige scheldwoord dat we ooit gehad hebben in de Nederlandse taal. Van lullig kon je nog zeggen: uitsluitend orgasmegericht bezig zijn met een ander mens alsof het een object is, is inderdaad nogal lullig. Maar van een vrouwelijke, zachte, ontvankelijke, gevoelige, liefhebbende kut kun je toch geen kwaad woord zeggen?

HOOFDSTUK 5

De gepantserde vagina

'Het werd moeilijker en moeilijker om haar te laten klaarkomen en ze rukte als het ware aan me daar beneden alsof er een of andere snavel aan me zat te trekken. God, je zou denken dat een vrouw daar beneden zacht is, als een vijg. Maar ik zeg je dat die ouwe feeksen snavels tussen hun benen hebben, en ze rukken aan je tot je er ziek van wordt. Zelf! Zelf! Zelf! allemaal zelf! rukken en schreeuwen! Ze hebben het wel over het egoïsme van mannen, maar ik vraag me af of dat ooit zo erg is als een vrouw met zo'n blinde snavel, als ze eenmaal die kant op is gegaan.'

D.H. Lawrence liet zijn protagonist Mellors in de beruchte roman *Lady Chatterley's Lover* bitter klagen over de moderne vrouwen van zijn tijd – de jaren twintig van de vorige eeuw. Lady Chatterley, Connie, zou misschien ook wel 'die kant op' zijn gegaan, als ze Mellors niet was tegengekomen. Haar wettige echtgenoot, toch al niet hevig in seks geïnteresseerd, was door oorlogsverwondingen impotent geraakt en had haar aangeraden een minnaar te nemen. Er was een nette minnaar gekomen, maar erg bevredigend was het allemaal niet geweest. 'Zoals zoveel moderne mannen was hij al bijna klaar voordat hij was begonnen.' Connie vatte de gewoonte op om zichzelf dan maar boven op de inmiddels verslapte penis van deze man tot orgasme te wrijven, maar toen hij venijnige kritiek op die gewoonte leverde, was ze zo gekwetst dat ze de affaire verbrak.

In de armen van Mellors, de jachtopziener, wordt het een heel ander verhaal. 'Een ander zelf was nu tot leven gekomen in haar, een brandende smeltende zachtheid in haar schoot en onderbuik, en met dit zelf aanbad ze hem. Ze aanbad hem tot haar knieën week werden onder het lopen. In haar schoot en buik was ze nu vloeiend en levend en kwetsbaar, en hulpeloos in haar aanbidding van hem als de meest naïeve vrouw.' De modern denkende, geëmancipeerde Connie heeft er aanvankelijk moeite mee zich zo te laten gaan, maar de hartstochtelijke lichamelijke liefde van Mellors wint.

Veelzeggend is dat Lawrence aanvankelijk van plan was zijn roman *Tenderness* te noemen. En daar gaat dit boek natuurlijk ook over. 'Zal ik je eens vertellen wat jij hebt dat andere mannen niet hebben?' vraagt Connie aan Mellors, en ze vervolgt: 'Het is de moed van je eigen tederheid, dat is het.' *Fucking with a warm heart*, noemt Mellors het – de koppeling van lust aan liefde.

Zelf had Lawrence met Frieda von Richthofen een liefde die tientallen jaren lang gepassioneerd bleef, te oordelen naar wat erover bekend geworden is. Aan een vriend met huwelijksproblemen schreef hij eens: 'Je moet niet denken dat je wens of je fundamentele behoefte is om een carrière op te bouwen of om je leven met activiteiten te vullen, of zelfs voor je gezin te zorgen. Dat is het niet. Je meest vitale behoefte in dit leven is dat je volledig en zonder voorbehoud van je vrouw houdt in totale naaktheid van lichaam en geest. Dan pas heb je vrede en innerlijke zekerheid, wat er verder ook fout gaat. En juist door deze vrede en zekerheid ben je vrij om te handelen en je eigen werk te produceren, een echte onafhankelijke werker.'

HET IS EEN ZEER on-patriarchaal standpunt dat de jonggestorven Britse auteur hier inneemt. Hij was zijn tijd een eeuw vooruit, zou je kunnen zeggen. In onze cultuur zijn we nog niet zover dat mannen de liefde voor en van een vrouw als hun meest vitale behoefte en als voorwaarde voor intellectuele onafhankelijkheid en integriteit beschouwen. De ontwikkeling gaat eerst nog precies de andere kant uit: steeds meer vrouwen beschouwen hun carrière als hun meest vitale behoefte en maken hun liefdesleven daaraan ondergeschikt.

Jaren geleden interviewde ik de Vlaamse managementtrainer Daniëlle Roex. Zij stelde dat vrouwen die zich te zeer identificeren met en zich aanpassen aan de masculiene eisen – en dat doen vooral hoogopgeleide vrouwen – een diepe onvrede in zichzelf creëren. Zich verontschuldigend voor de generalisatie zei ze: 'Ik ga ervan uit dat de primaire functie van de vrouw is: receptiviteit, ontvankelijkheid. In haar schoot moet de vrouw de man kunnen ontvangen. Juist die ontvankelijkheid van vrouwen is in deze tijd zeer beschadigd.' Ze stelde dat met name aantrekkelijke vrouwen onder grote druk staan om zich aan te passen en hoe meer succes ze hebben in het voldoen aan de mannelijke verwachtingen, hoe minder ze in staat zijn de vrouwelijke receptiviteit te ontwikkelen. 'Je ziet dat aan vrouwen,' zei ze. 'Ze zijn succesvol maar ontevreden, vaak hard, vaak hebben ze problemen die ze niet onderkennen als problemen, vanuit een gebrek aan ontvankelijkheid. Vaak ook komen ze seksueel niet aan hun trekken, of ze willen geen seks. Leven dus niet met de zachtheid van hun binnenste.'

Die zachtheid van het vrouwelijk binnenste is in veel gevallen ook door geweld aangetast. De porno-cultuur waarin wij leven vormt op zich al een diffuse maar doordringende vorm van geweld, althans voor het gevoelsleven van opgroeiende meisjes en vrouwen. Daarnaast heeft een op de drie vrouwen ooit persoonlijk en direct te maken gehad met seksueel misbruik en een op de zeven in ernstige mate. Dat zijn heel veel vrouwen. Vier tot tien meisjes per gemiddelde schoolklas, om maar iets te noemen. 'Mijn vagina is een stalen koker,' vertelde een vrouw die in haar jeugd misbruikt was, in het interviewboek *Het geminachte lichaam*. 'Ik voel helemaal niets.'

ENIGE TIJD GELEDEN werd ik uitgenodigd om mijn standpunt dat seks met liefde gepaard dient te gaan, te verdedigen in een televisieprogramma tegenover de progressieve journalist Bernadette de Wit, auteur van een boek getiteld *Slechte vrouwen, echte vrouwen*. Haar standpunt was dat de combinatie seks en liefde slechts een van de vele mogelijkheden is, niet per se de beste. Liefde zoals ik het definieerde, belangeloze aandacht voor de ander, was volgens haar in seksuele relaties onmogelijk. Op de avond na de televisie-opnamen, nog in de roes van de enerverende dag, las ik haar boek. Daarin beschreef De Wit onder andere hoe ze als vijftienjarig meisje met grof geweld verkracht was. Ze had echter besloten dat dit haar geen trauma had bezorgd, omdat ze met succes haar gevoel had uitgeschakeld tijdens de gebeurtenis. Inderdaad is het uitschakelen van het gevoel een nuttige, instinctieve strategie bij het ondergaan van seksueel geweld, dat is bekend. Het probleem is natuurlijk dat dit gevoel dan doorgaans niet zomaar vanzelf weer 'aan gaat'. De meeste vrouwen die dit is overkomen, moeten uitvoerig in therapie voordat hun gevoelsleven zich weer herstelt.

Het boek van De Wit bevatte verder nogal wat expliciete passages waarin de auteur seks heeft zonder liefde, en ik verwonderde me erover dat zelfs ik – pleitbezorgster van de tederheid – bij het lezen een soort seksuele opwinding voelde, een prikkeling in mijn onderlichaam.

Diezelfde nacht had ik een verhelderende droom. Ik droomde dat iemand een voorwerp in mijn vagina stak en dat ik er aanvankelijk met plezier op reageerde. Na korte tijd begon ik te beseffen dat het voorwerp veel te scherp was en dat de penetratie pijn deed. Vervolgens zag ik dat er aan het voorwerp een boog van ijzer vast zat, eveneens met een scherpe punt eraan, die in mijn borstkas drong en diepe krassen maakte op de plaats van mijn hart. Het was een bijna letterlijk antwoord op mijn verwondering: liefdeloze seksuele prikkels winden je fysiek op, maar blijken op den duur pijnlijk voor de vrouwelijke receptiviteit. Ze beschadigen de kern van je gevoelsleven.

DE TITEL VAN het boek van Bernadette de Wit is interessant. Waarom denkt zij dat je echt bent als je slecht bent, als vrouw? De Amerikaanse psychologe Elizabeth Debold werkte enkele jaren geleden aan een Harvardproject dat de specifiek vrouwelijke ontwikkeling onderzocht. Zij vond dat er een traumatische breuk optreedt in de ontwikkeling van jong meisje naar adolescent: wat in een kind nog één geheel is, helder en krachtig en zonder angst, raakt in de meeste – blanke, middenklasse – tienermeisjes gefragmenteerd en geconditioneerd, zo formuleerde zij het. De tieners pakken een beeld op van morele goedheid dat nog altijd gebaseerd is op het Victoriaanse *Angel in the Home*-idee en internaliseren dat. Ze willen aantrekkelijk zijn, netjes, gehoorzaam en altruïstisch. 'In de loop van hun puberteit ruilen de meisjes een zelf in voor een geïdealiseerde goedheid, die gebaseerd is op zelfloosheid,' zegt Debold. De reden is, volgens haar, angst. De meisjes ontdekken namelijk dat ze in een maatschappij leven die het vrouwelijk lichaam tot object maakt. Ze krijgen blikken naar zich toe die vaak zeer beangstigend zijn. Ze merken hoe gecompliceerd het is om niet te veel aandacht te trekken met hun lichaam – want dat is gevaarlijk – en toch aandacht genoeg om relaties te kunnen aangaan – want dat is veilig. Die noodgedwongen gespleten omgang met hun eigen lichaam splijt hen ook psychologisch.

'Daarin ligt het probleem,' zegt Debold: 'Voor zeer veel vrouwen is goed zijn een kwestie van veiligheid. En dat stuk, dat aan de kern ligt van hun identiteit, durven ze vaak niet te onderzoeken.' Moedige vrouwen zoals Bernadette de Wit durven dat stuk wel te onderzoeken. Maar om nu maar meteen te concluderen dat je als vrouw pas authentiek bent als je er links en rechts op los neukt...? Het is het meest fundamentele misverstand van de seksuele revolutie: de illusie dat je vrijheid kunt creëren door de liefde op te geven. Deze vergissing is het spiegelbeeld van de fantasie van het klassieke huwelijk: de illusie dat je liefde kunt creëren door je vrijheid op te geven. Beide pogingen zijn tot mislukken gedoemd. Vrijheid en liefde zijn namelijk geen communicerende vaten, maar kwaliteiten of psychologische verworvenheden die uiteindelijk niet zonder elkaar kunnen. Want echte liefde is loslaten – de ander vrijlaten om te zijn wie hij is. En echte vrijheid is kiezen, en uit vrije wil je vrije keuze trouw blijven. Maar daarover later meer.

DAT VROUWEN MET lichamelijke opwinding kunnen reageren op seksuele prikkels zonder dat ze emotioneel geraakt zijn, is overigens een klinisch vastgesteld feit. Psychologe dr. Ellen Laan van de Universiteit van Amsterdam ging enkele jaren geleden aan de slag met een soort elektronische tampon, waarmee ze de vaginale doorbloeding kon meten bij tientallen vrouwelijke proefpersonen, terwijl die keken naar pornofilms of erotische plaatjes, of seksuele fantasieën hadden. Ondertussen konden ze met een schuifje aangeven hoe opgewonden ze zelf meenden te zijn. Wat bleek: het kwam regelmatig voor dat vrouwen beweerden dat ze niet koud of warm werden van een beeld of een film, terwijl het apparaatje duidelijk een sterkere doorbloeding van de vagina registreerde. Doorbloeding gaat volgens Laan ongeveer gelijk op met bevochtiging van de vagina, de lichamelijke voorbereiding op gemeenschap. Soms reageerden vrouwen zelfs met verhoogde doorbloeding als ze beelden te zien kregen waarop een afkeurenswaardige seksscène plaatshad, gewelddadige seks of iets wat op verkrachting leek. Er bestaat kennelijk zoiets als een autonome respons van het vrouwelijk lichaam op seksueel expliciet materiaal. Soms worden vrouwen dan ook vochtig tijdens een verkrachting – wat voor daders vaak aanleiding is om te geloven dat 'ze het wilde'. Maar dat bestrijdt Ellen Laan juist hevig: 'Wat het lijf doet, is bijna onbewust reageren op seksuele prikkels. Maar of een vrouw ook echt wil, hangt af van wat zij vindt van die prikkel, van de hele situatie. Wie zijn wij om te zeggen dat het lijf belangrijker is dan de geest? Er is een tendens om te geloven dat het lichaam objectieve en betrouwbare informatie geeft en dat vrouwen dus een beetje jokken als ze zeggen dat ze niet opgewonden zijn terwijl hun lichaam dat wel is. Maar bij ons dient seks waarschijnlijk andere belangen dan bij mannen. Vroeger dacht ik ook dat man en vrouw gelijk waren, maar daar ben ik van teruggekomen. Voor mannen heeft seks vaak maar één betekenis: seks. Een vrouw zoekt ook emotionele bevrediging.'

Je zou kunnen zeggen dat er een zekere wijsheid van het lichaam meespeelt als je vochtig wordt tijdens een verkrachting. Zonder dat glijmiddel zijn de verwondingen die je oploopt, ongetwijfeld nog erger. Het lijkt me vanuit evolutionair-biologische invalshoek een plausibele verklaring voor het fenomeen.

EMOTIONELE BESCHADIGING kun je niet meten met een elektronische tampon. Maar het ligt voor de hand dat onze alom aanwezige porno-cultuur de vrouwelijke receptiviteit in het algemeen beschadigt. En het zou me niets verbazen als deze beschadiging zich in het vrouwelijke geslachtsorgaan, dat zeer psychosomatisch reageert op emoties, manifesteert als een desensitivering, een verharding van de vagina. Bovendien is het de vraag wat het regelmatig gebruik van dildo's en vibrators – enthousiast gepropageerd door feministen en stoere meisjesbladen – met de zeer gevoelige vagina doet. Met andere woorden: wat gebeurt er als je als vrouw het kikkermannetje imiteert en met een klomp klei aan de slag gaat? Ik ben er niet gerust op.

En wat is op den duur het effect als de receptieve vrouwelijke schoot door mannen behandeld wordt als een apparaat met bedieningsgrepen waarop de juiste druk dient te worden uitgeoefend? Veel mannen hebben uit de bladen begrepen dat ze de clitoris van hun partner moeten stimuleren door een vibrator na te doen, met heftig wrijven of een soort nerveuze trilbeweging. Jaren geleden las ik een interview met de zoon van een bekende feministe. Hij vertelde terloops hoe teleurgesteld hij was geweest, als jongen, toen zijn vooruitstrevende ouders hem uitlegden hoe het werkte, in seks. Het bleek dus dat een vrouw net zoiets was als een auto en dat je eenvoudig moest leren waar je moest drukken, trekken of wrijven, en dat was het dan... Zijn romantische ideeën over de liefde waren verschrompeld. Het gevoelsleven van jongens wordt óók beschadigd door onze mechanische visie op seks.

Het vrouwelijk geslachtsorgaan is natuurlijk geen apparaat. Een mechanische benadering kan weliswaar fysiologische reactie-ontladingen teweegbrengen, maar vermindert daarbij, moeten we vrezen, de gevoeligheid van het uiterst ontvankelijke orgaan.

Er treedt een tragische vicieuze cirkel in werking. Zelfs de meest romantische jongens en mannen krijgen in onze onttoverde wereld voornamelijk technische instructies en kunnen niet anders dan zich op het vereiste vrouwelijke orgasme storten als ware het een doe-het-zelfklus die zij handig en krachtig moeten klaren. De druk op vrouwen om zich aan de mannelijke seksualiteit aan te passen ondermijnt hun weerstand en maakt dat zij hun verlangen naar tederheid leren zien als mutsig, ongeëmancipeerd, iets dat je moet onderdrukken. Onverschillige, harteloze seksuele exercities desensitiveren de vagina. En een gepantserde vagina heeft steeds sterkere stimuli nodig om nog iets te voelen.

De prinses die alsmaar kikkers kust, krijgt zoveel eelt op haar lippen dat het haast een snavel wordt. Dan voelt ze echt niet meer wie of wat ze aan het kussen is.

HOOFDSTUK 6

Love hurts

Eens zat ik met een interessante man te praten over de liefde. We hadden elkaar die dag voor het eerst ontmoet en we hadden samen een pizza gegeten. In de auto, stilstaand voor een stoplicht, had hij zich naar me toe gebogen en me licht op de mond gekust. 'Zo, jij durft,' zei ik luchtig, maar het prikkelde me. De avond waren we aan het afronden in een café en het gesprek ging min of meer filosoferend over relaties. 'Je komt er toch nooit helemaal zonder kleerscheuren vanaf,' zei ik, *streetwise*. 'Dat is waar,' antwoorde hij. 'Maar ik heb wel steeds beter leren naaien.' Een golf van opwinding ging door mijn onderlijf. Een uur later lagen we samen in bed. Het werd een relatie waaruit twee prachtige kinderen voortkwamen en die twaalf jaar zou duren. We kwamen er niet zonder kleerscheuren vanaf.

Het romantische ideaal vereist dat je eerst van elkaar moet houden voordat je met elkaar naar bed gaat. De nieuwe culturele vanzelfsprekendheid van onze cynische tijd luidt: je hoeft niets speciaals te voelen voor elkaar om te experimenteren met seks.

Ik heb altijd het idee gehad dat je beter niet al te lang kunt wachten met seks als je allebei verliefd bent. Die vreemde opgewonden spanning van de gefascineerde begeerte die zorgt dat je niet helemaal jezelf bent, kun je pas oplossen door over te gaan tot de daad. Daarna kun je dan aan het echte werk beginnen: leren van elkaar te houden.

Van elkaar houden voor je in bed stapt, is een al te steile opgave. Liefde is het bijproduct van een langdurig en meestal moeizaam psychologisch proces. Maar je moet wel verliefd zijn op elkaar als je de liefde bedrijft. Waarom zou je het anders doen? Seks is een communicatiemiddel, en de inhoud van die communicatie is liefde, in wat voor embryonale of rijpe vorm dan ook.

Seks hebben zonder verliefdheid is net zoiets als aan een tafel gaan zitten zonder voedsel, het bestek over de lege borden laten krassen en kletteren en het koude staal in je mond duwen zonder dat er een morseltje eten mee naar binnen komt. Zinloze gymnastiek is het, die allerlei negatieve emoties in een mens achterlaat: op zijn minst een gevoel van futiliteit, een vreemde onvervuldheid en een hol soort emotionele honger; daarnaast vaak depressiviteit of agressiviteit en min of meer bewust ervaren zelftwijfel of zelfverachting.

Onbegrijpelijk eigenlijk dat niet alle volwassenen dat aan hun kinderen uitleggen. Experimenteren? Het experiment is bij voorbaat mislukt als het belangrijkste ingrediënt ervan, een vurige belangstelling voor de andere persoon, ontbreekt.

SEKS WERPT EEN last op een relatie die alleen verliefdheid of liefde dragen kan. Het contact verandert erdoor; de vrijblijvendheid is verdwenen. Je gaat automatisch iets van de ander verwachten als je er een seksuele relatie mee aangaat. Seks maakt het contact klef, stroperig, moeizaam, beladen. Ergens rond mijn twintigste nam ik eens mijn zusje mee naar het huis van mijn vriendje. Later merkte ze op: 'Zodra K. in de deuropening verscheen, veranderde jij in een aanstellerig, afhankelijk kindvrouwtje.'

Denk niet dat alleen vrouwen klef en hangerig worden zodra ze een seksuele relatie zijn aangegaan. Ik had eens een man die mij elke dag als hij uit zijn werk kwam, begroette door een lang gezicht te trekken. 'O wat een zware dag heb ik gehad,' wilde hij daarmee zeggen bijvoorbeeld, of 'O wat was die file erg.' Ik protesteerde ertegen, ik vond dat hij mij daarmee opzadelde met de taak zijn emotionele pleegzuster te zijn. Ik moest kennelijk direct als we elkaar ontmoetten, in de houding springen en hem troosten voor alles wat er mis gegaan was. Diverse keren probeerde ik hem duidelijk te maken dat het liefdevoller zou zijn als hij mij begroette met een vriendelijk gezicht, zodat ik kon registreren dat hij het fijn vond mij weer te zien. Dan kon hij daarna natuurlijk altijd nog zijn nood klagen over stress of wat het dan ook was wat hem bezwaarde. Het lukte niet. Na enige tijd verbraken we de relatie en we werden vrienden. De eerste keer dat ik bij hem aanbelde om samen naar de film te gaan, gebeurde er iets merkwaardigs. Hij deed de deur open, zag mij staan, begon onwillekeurig uit gewoonte een lang gezicht te trekken, bedacht zich plotseling alsof hij zich herinnerde dat ik zijn partner niet meer was, en lachte me vriendelijk toe, zoals je een vriendin begroet met wie je niet naar bed gaat.

De moraal van dit verhaal is dat een seksuele relatie claims en verwachtingen met zich mee brengt die een vriendschapsrelatie niet heeft. Automatisch en doorgaans onbewust verwacht je van alles van de persoon met wie je vrijt. Het is alleen veel moeilijker om de verborgen claims bij jezelf te ontdekken dan bij je partner.

Seks maakt relaties pijnlijk, leerzaam en vormend.

Waarom leert de jeugd dit soort dingen niet op school? Wat is vitaler informatie voor middelbare scholieren dan kennis over seks en relaties, en wat seks met relaties doet? 'Ze willen het zelf ontdekken, ze willen het niet van oudere mensen horen,' was een antwoord dat ik kreeg op deze vraag. O nee? In een Amerikaans onderzoek werd aan een paar duizend teenagers gevraagd waar ze het meest behoefte aan hadden. Praten met volwassenen stond op nummer één van het verlanglijstje van de jeugd.

'Ze moeten hun eigen fouten maken.' O ja? Laten wij kinderen ook met blote voetjes door gebroken glas lopen, omdat ze hun eigen fouten moeten maken?

VERLIEFDHEID IS projectie, weten we tegenwoordig uit de psychologie. Je kent die ander niet maar voelt je onweerstaanbaar aangetrokken en vervolgens plak je er het plaatje op van een ideaalbeeld dat je in je eigen ziel hebt. Er is een leuk psychologisch spelletje waarbij je de naam moet opschrijven van iemand die je bewondert. Onder die naam schrijf je dan tien eigenschappen van die persoon op, de belangrijkste kenmerken van die persoon die je zo mooi of goed vindt. Vervolgens moet je de naam van je held doorschrappen, en je eigen naam boven het lijstje zetten: dit zijn namelijk alle tien eigenschappen die jij zelf in je hebt, al dan niet tot ontplooiing gebracht. Als je het niet gelooft, dan betekent dat alleen maar dat je ze nog niet herkent in jezelf. Zo werkt projectie en zo werkt het met verliefdheid ook, in principe. Wat je ziet, dat ben je zelf.

Ik denk dat mannen vaak op een vrouw de capaciteit tot liefhebben projecteren die zij in potentie hebben maar nog in zichzelf moeten ontwikkelen, en dat vrouwen op een man vaak de zelfstandigheid en emotionele onafhankelijkheid projecteren die hun eigen opdracht is. Maar dat is wel erg simplistisch en generaliserend gesteld. In het algemeen is verliefdheid het toedichten van allerlei moois en goeds dat je in aanleg in je eigen psyche hebt, aan een persoon buiten je. Na verloop van tijd gaan vaak precies die eigenschappen je ergeren die je in het begin zo aantrokken. Dan is het kennelijk de hoogste tijd geworden ze in jezelf te ontwikkelen, als het om positieve eigenschappen gaat, of om ze aan het licht te brengen in jezelf en te transformeren, als het om negatieve eigenschappen gaat. Want wat je in jezelf onderdrukt houdt of ontkent, irriteert je in een ander. In harmonieuze relaties gaan partners door de jaren heen meer op elkaar lijken, omdat ze allebei steeds meer gespiegelde karaktertrekken in zichzelf tot expressie brengen.

Als je verliefd wordt op iemand, raak je zo enthousiast door de mogelijkheid die je voor je neus ziet, het idee dat een mens al die prachtige eigenschappen werkelijk zou kunnen bezitten, dat je totaal geraakt wordt op de drie gebieden van de geest, het gevoel en het lichaam. Je denkt voortdurend aan je geliefde, je hart staat open en stroomt over van gevoel, en je verlangt naar lichamelijk contact omdat dat het sterkste middel is waarmee je je intense belangstelling kunt uitdrukken. De seks is meestal fantastisch.

Van verliefdheid naar liefde is een diepgaand transformatieproces, dat alleen in gang gezet wordt als je geraakt wordt door de ander, en geraakt blijft worden. Liefde is het proces waarin je langzaam maar zeker je projecties loslaat, terwijl je geest ondertussen toch belangstellend blijft en je hart open, en je met je lichaam blijft verlangen naar contact om je gevoel uit te drukken. Seks helpt om van verliefdheid tussen partners liefde te maken, tenminste als de seks goed blijft. Dan word je telkens weer geraakt.

Liefde is belangeloze belangstelling: als je echt van iemand houdt, laat je hem of haar vrij om te zijn wie hij of zij is, zonder je aandacht van deze persoon af te wenden. Dat vrijlaten lukt natuurlijk pas als je de tegenpool-kwaliteit die je zo begeert in de ander, zelf ontwikkelt. Zolang je nog kwaliteiten op de ander projecteert, heb je die ander nodig en kun je hem niet vrijlaten.

Op het simpele niveau van verliefdheid zie je in de ander een gedroomde ideale partner. In de loop van een relatie ontdek je dat je droom niet alles met je partner te maken heeft maar ook veel met jezelf. Op het hoogste niveau van de liefde zie je de ander zoals hij of zij werkelijk is: een schitterende ziel in een luisterrijk vleeshemd. Het middelpunt van een oneindig heelal. Net zo bijzonder en belangrijk als jezelf.

VERLIEFD WORDEN betekent dat je je in principe bereid verklaart tot een totale ontmoeting in hoofd, hart en onderbuik. Vandaar dat in de wittebroodsweken van een relatie de seks meestal moeiteloos en verrukkelijk is. Beiden hebben zoveel intense aandacht voor elkaar dat *fucking with a warm heart* vanzelf gaat. Maar na verloop van tijd, als de verliefdheid afneemt, treedt er een subtiele verschuiving op van de aandacht. Je bent niet meer zozeer op de ander gericht, maar op jezelf. Je gaat je afvragen wat jij eigenlijk van je partner krijgt, of hij wel voldoende investeert in de relatie, of hij jou wel genoeg aandacht geeft, of de ruimte gunt die je nodig hebt. Of je piekert over de vraag of jij wel goed genoeg bent voor die partner, of je misschien iets fout doet, tekortschiet. Er zijn nog meer vormen van egocentrisme mogelijk maar in mijn ervaring komt het meestal op deze twee hoofdvormen neer: hee, ik krijg niet genoeg; of o jee, ik geef niet genoeg.

Dan begint het werk van de liefde, van de transformatie. Om je belangstelling voor de ander levend te houden, moet je je zelfzucht opgeven – het misselijkmakende vermoeden dat je partner niet goed genoeg is voor jou, de knagende twijfel of jij wel goed genoeg bent voor je partner.

Logische argumenten om die zelfzucht op te geven zijn er genoeg. Als je partner niet goed genoeg is voor jou, is de relatie gedoemd en kun je beter meteen opstappen. Als jij niet goed genoeg bent voor je partner, moet je een beter mens worden. Heb je daar geen zin in, dan is de relatie evenzeer gedoemd. Weg ermee, zou ik zeggen. Wil je niet weg, dan moet je je twijfels en je claims opgeven en je aandacht weer op die ander richten. Dat opgeven doet pijn.

Liefde realiseren vereist een innerlijke transformatie en die gaat vrijwel altijd gepaard met pijn, gebroken harten, afzien, afsterven, kortom, met tragiek. Daarom zijn grote liefdesgeschiedenissen vaak zo tragisch. Het sterven van de held of de heldin symboliseert het afsterven van de zelfzucht.

NEEM DE CULTFILM *Hable con ella* van de Spaanse regisseur Pedro Almodóvar, een film die terecht gelauwerd werd en alleen in Nederland al honderdduizenden bezoekers trok. Het verhaal is volgens sommige recensenten mysterieus en moeilijk te interpreteren. Maar bekijk het eens vanuit de vraag: wat is liefde?

(Wie de film nog niet gezien heeft en de plot niet van te voren onthuld wil hebben, moet de volgende bladzijde maar even overslaan.)

Twee vrouwen, Alicia en Lydia, liggen in coma. Lydia sterft, Alicia wordt uiteindelijk na jaren kasplant te zijn geweest, weer wakker. Hoe? Doordat ze zwanger is geworden van haar verpleger, Benigno. Het kind haalt het niet, maar de moeder is door de gebeurtenis uit haar coma bevrijd. Het doet denken aan Sneeuwwitje in haar glazen kist; als zij door de prins wordt meegenomen raakt door de schok het stukje giftige appel uit haar keel los en ze ontwaakt. Verpleger Benigno wordt veroordeeld voor zijn daad – hij heeft zich tenslotte vergrepen aan een comateuze vrouw. Hij pleegt zelfmoord in de gevangenis. De minnaar van de andere comapatiënte, een journalist genaamd Marco, is getuige van de ontwikkelingen. Hij is een vriend geworden van Benigno en weet als buitenstaander wat deze gedaan heeft, en wat het effect ervan geweest is. Aan het eind van de film ontmoet Marco de ontwaakte Alicia en er bloeit voorzichtig een contact op.

'Hable con ella' betekent 'praat met haar'. De verpleger Benigno, een dikkige man zonder intellectuele pretenties, weet precies wat een vrouw nodig heeft, zegt hij. Het maakt niet uit of ze in coma ligt of niet: je moet net doen of ze alles hoort en alles voelt wat er gebeurt, legt hij uit aan de andere man. Praat met haar! 'Wat weet jij nou van vrouwen?' vraagt Marco cynisch. 'Alles,' antwoordt Benigno en als kijker weet je op dat moment dat het klopt. Want je hebt gezien hoe hij zijn aanbeden Alicia niet alleen voortdurend met conversatie bezighoudt, maar met eindeloos geduld ook lichamelijk verzorgt, wast, verlegt, met crème insmeert en masseert. Hij twijfelt geen moment of zij wel goed genoeg is voor hem, zelfs al ligt ze daar maar te liggen. En hij twijfelt ook geen seconde of hij wel goed genoeg is voor haar, zelfs al is hij maar een dikkige verpleger. Hij heeft het veel te druk met liefhebben.

HET SENSATIONELE VAN de film is dat Almodóvar radicaal omdraait wat er in onze cultuur met vrouwen gebeurt. Overal om ons heen worden levende, denkende, voelende vrouwen gezien en behandeld alsof ze voorwerpen waren, levenloze en gevoelloze lustobjecten. In *Hable con ella* behandelt een man de vrouw van wie hij houdt tegen alle klippen op als mens, als gevoelige vrouw, terwijl ze jarenlang onder zijn handen niet meer dan een slappe ledenpop is, een plant, bijna een ding. Maar hij blijft met haar communiceren. De regisseur had de film willen noemen *The man who cried*, de man die huilde, maar die titel was niet meer vrij. Volgens mij gaat de film over een kikker waarvan de huid wordt opengeknipt zodat het hart gaat stromen.

Waarom Benigno ertoe overgaat om ook met de bewusteloze Alicia te vrijen, waardoor ze zwanger wordt, begrijp je als kijker door de hilarische fragmenten van een oude zwart-witfilm die Benigno ziet. Daarin wordt een man door een wetenschappelijk experiment per ongeluk klein, zo klein als een duim. Om zijn aanbedene toch seksueel van dienst te kunnen zijn, verdwijnt hij op een nacht, als zij ligt te slapen, in haar vagina. Om de mond van de slapende vrouw speelt daarbij een tevreden glimlachje. De suggestie is duidelijk: Benigno, die zijn geliefde Alicia alles wil geven wat ze nodig heeft en wat haar hart begeert, vrijt met haar om haar ook in haar permanente slaap seksueel te dienen. Hoewel het vrijen zelf niet in beeld is, kun je je moeiteloos voorstellen hoe dat gegaan zou zijn. De verpleger zal met uiterste tederheid zijn geliefde hebben gepenetreerd, attent op elke uitdrukking van haar gezicht. Gebeurt er iets? Glimlacht zij? Geniet zij? Is het goed voor haar?

De ironie is dat juist deze daad van liefde door de omstanders wordt gezien als schandelijke exploitatie. De buitenwereld kan alleen maar concluderen dat Benigno een gewone man is die misbruik maakt van de situatie en een weerloze vrouw verkracht. Dus vertelt niemand hem dat Alicia door zijn toedoen wakker is geworden, en pleegt hij zelfmoord.

De symboliek van de film is glashelder. Net als het kleine mannetje in de zwart-witfilm offert de verpleger zichzelf op voor de liefde. Hij is bereid te sterven om een daad te kunnen plegen die haar leven redt.

Hable con ella gaat dus over de liefde. Er straalt het besef in door dat de combinatie van liefde en seks levensreddend is, maar van de man een zware opoffering vraagt. Iets in hem moet heel klein worden, of zelfs sterven. De beminde vrouw komt er trouwens ook niet zonder kleerscheuren vanaf – ze begint als zeer ernstige, bijna hopeloos zieke gehandicapte. In de laatste scène van de film is ze herboren, en leert ze moeizaam lopen, op krukken.

SOORTGELIJKE SYMBOLIEK maar simpeler gebracht, zien we in de grote kaskraker uit Hollywood over de ondergang van de *Titanic*. De twee hoofdpersonen gespeeld door Leonardo di Caprio en Kate Winslet ontmoeten elkaar op het schip en worden hevig verliefd. Zij is verloofd met een rijke man uit haar eigen milieu die niet van haar houdt. Eigenlijk wil ze zelfmoord plegen door in zee te springen en dat ziet hij; hij verhindert de zelfmoord en maakt contact met haar. Door de ontmoeting beseft ze dat er ook een ander soort leven mogelijk is – vrijer, warmer, echter, met gevoel in plaats van bloedeloos fatsoen. Spoedig hebben de twee geliefden heftige seks, van het soort waarvan de ramen beslaan. Maar dat het allemaal gaat om echte liefde, bewijst het verdere verloop. Als het schip in stukken breekt en de passagiers in het ijskoude water terecht komen, redt de jongen het leven van het meisje door haar op haar vlotje moed in te spreken, door haar hartstochtelijk te bezweren verder te gaan, te leven, te overleven, moeder te worden, ja, grootmoeder moet ze worden! Zelf sterft hij. Het meisje heeft haar leven behouden, maar dat is dan ook alles. Ze is niet alleen haar nieuwe prachtige geliefde kwijt, die voor haar radeloze ogen verdwijnt in de golven, maar ze geeft ook haar verleden en haar toekomst op – haar rijke verloofde, haar familie, haar naam, haar bezit, de welgestelde positie die op haar wachtte.

In de liefde kom je er nooit zonder kleerscheuren vanaf.

VAAK HEB IK tussen twee relaties in, als de eenzaamheid neep, mijn ogen ten hemel geslagen en verzucht: 'God! Waarom heb ik geen man?' Na zo'n partnerloze periode verscheen er altijd wel weer een of andere boeiende man op mijn pad. En na verloop van tijd kwam onvermijdelijk het moment waarop ik de ogen ten hemel sloeg en verzuchtte: 'God! Waarom heb ik déze man?'

Inmiddels heb ik op beide vragen het antwoord gevonden en het is hetzelfde antwoord: om me te ontwikkelen. Relaties heb je niet voor de lol, is mijn stellige overtuiging. Statistisch gezien scheelt het hebben van een relatie een halve punt op een schaal van een tot tien, als het gaat om levensgeluk. Mensen met een relatie zijn een halve punt gelukkiger dan mensen zonder relatie. Dat is dus vijf procent. Een beetje. Dat beetje meer geluk is vast niet de werkelijke drijfveer voor de mens om een relatie te hebben.

Natuurlijk denk je dat wel, als je eraan begint. Waarom zou je anders een relatie aangaan? Geloven dat het leuk gaat worden, is onontbeerlijk. Het lonkende perspectief van de lol is de fuik waardoor je de relatie binnenzwemt. Je wordt opgewonden en begerig en je hunkert naar seks met deze fantastische persoon. Je ziet aankomen dat je gaat genieten, je verwacht misschien zelfs stiekem dat je problemen opgelost zijn, dat je nooit meer eenzaam zult zijn, of dat je diepe, geheime verlangen naar liefde vervuld zal worden.

In een bloeiende liefdesrelatie valt er genoeg te genieten. Het genot fungeert als het ware als een net, waardoor je gevangen gehouden wordt in het partnerschap. Zodra er te veel of te grote gaten in dat net komen, en er te weinig plezier en genot is, breken mensen meestal uit het net los en verlaten hun partner.

Maar zelfs al valt er nog zoveel te genieten in een relatie, je problemen zijn niet opgelost, integendeel.

IK GA ERVAN UIT dat mijn partner precies spiegelt hoever ik zelf gevorderd ben in mijn liefdesontwikkeling. Zijn zwakke kanten spiegelen mijn zwakke kanten en zijn sterke kanten reflecteren mijn sterke kanten. Gedraagt hij zich als een onbehouwen egotripper, dan ben ik in een bepaald opzicht emotioneel onderontwikkeld en op mezelf gericht. Heb ik een warme, geduldige, genereuze man, dan is er toch iets in mij inmiddels warm, geduldig en genereus geworden. Mensen passen altijd bij elkaar, omdat ze verliefd worden op of aangetrokken worden door zichzelf in de ander. Zodra het niet meer klopt, gaan ze onvermijdelijk uit elkaar. Soms, als scheiden te moeilijk is, sterven ze om van hun partner af te komen, of ze worden gek.

Het is natuurlijk maar een theorie – de Theorie van de Passende Partners – maar hij is reuze handig in het dagelijks gebruik. Je kunt namelijk nooit meer over je partner klagen als je deze theorie aanhangt.

De echtgenote van de topman die tien miljoen per jaar binnenbrengt maar geen tijd heeft voor haar, verwaarloost zelf de liefde. De trouwe vriend van een verschrikkelijk kreng is zelf in sommige opzichten onbetrouwbaar of kwaadaardig. Onschuldige slachtoffers zijn er niet, althans niet in vrijwillig gesloten huwelijken en spontaan tot stand gekomen liefdesrelaties. Want je zoekt altijd iemand uit die je spiegelt. Als je uitgaat van de theorie van de passende partner, is elke ergernis in de relatie een spiegel die je voorgehouden wordt. Kijk naar je partner en je ziet wat er nog te verbeteren valt aan jezelf.

HOOFDSTUK 7

Missen en maskers

Eens moest ik voor een radioprogramma een discussie voeren met de eigenares van een schoonheidssalon, waar ook cosmetische operaties werden uitgevoerd. Mijn standpunt was dat het onzinnig is om geld uit te geven en zeker om met alle risico's vandien onder het mes te gaan, alleen maar om er jonger en sexier uit te zien. Ik vind het juist zo prettig om ouder en wijzer te worden en dat wil ik niet achter een valse schijn van jeugdige vruchtbaarheid verstoppen. Seks is minstens even heerlijk op je vijftigste als op je twintigste, zo niet vele malen heerlijker. En in bed heb je geen face-lifts, kleurspoelingen of permanente oogmake-up nodig: goede seks maakt dat je er vanzelf ontspannen, mooi en jong uitziet.

De dochter van de eigenares, die ook in de salon werkte, gaf op verzoek van het programmateam commentaar op mijn uiterlijk. Behalve dat grijze haar verven en die rimpels laten weglaseren, zou ze me ook een borstvergroting aanraden. Ze had er zelf ook een gehad. 'Waarom zou ik?' vroeg ik. 'Ik heb nog nooit klachten gehad van mannen over mijn platte borsten. De een noemde ze kuis, de ander pril...'

De dochter viel me fel in de rede. 'Een borstvergroting doe je ook niet voor de mannen. Je doet het voor jezelf. Ik heb het helemaal voor mezelf gedaan.'

Ik geloofde haar aanvankelijk niet. Staat ze dan in

haar blootje voor de spiegel haar eigen tieten te bewonderen? dacht ik schamper. Maar bij nader inzien denk ik dat ze de waarheid sprak; vrouwen doen dat soort dingen voor zichzelf.

Des te erger.

Zeker, de meeste mannen vinden een fraai décolleté aantrekkelijker dan twee erwten op een plankje, en ze vinden het ook leuk om te pronken met een weelderige partner tegenover andere mannen. Maar tijdens het vrijen zelf zijn siliconenborsten bepaald geen aanwinst. Als het gaat om het gevoelsmatige genot, de lichamelijke sensatie van de huid-op-huidontmoeting, zijn veel schoonheidstrucs van vrouwen overbodig of zelfs contraproductief. Uitstekende botten, strakgetrokken wangen, opgespoten lippen of overdadig gebruik van verf en parfum doen af aan het intieme contact tussen twee lichamen en verminderen de kans dat er bij het vrijen liefde wordt gecommuniceerd.

IK HEB WEL EENS gehoord dat lippenstift, nagellak en bontmantels verre echo's zijn van het bloed op de lippen en vingers van de legendarische bacchanten, en de beestenvellen waarin zij zich hulden. Deze volgelingen van Bacchus of Dionysos, de god van de wijn, van de roes en het genot, waren volgens de klassiek Griekse overlevering vrouwen die zichzelf opzweepten tot wellustige waanzin en levende dieren met hun blote handen verscheurden. Ook mannen die vermetel genoeg waren om hen te bespieden bij hun woeste orgieën werden aan stukken gereten. Euripides' toneelstuk *De Bacchen* gaat erover: hierin verscheurt Agave van Thebe in een blinde roes haar eigen zoon Pentheus.

Rode lippen, rode nagels en bont zouden een vrouw

een dionysisch air geven. Het zouden signalen zijn: ik ben een genotzuchtig wezen en ik kan je tot grote hoogten van wellust brengen. Het is mogelijk dat er een verband bestaat en dat de onbewuste wens van vrouwen is om met hun make-up te laten zien hoe ongeremd zij kunnen zijn. Maar eerlijk gezegd geloof ik er geen fluit van. Volgens mij zijn er nooit vrouwen geweest die wilde dieren met hun blote handen verscheurden zodat hun vingers en monden rood waren van het bloed. Mij lijkt dat hele bacchantenverhaal een van de vele griezelverhalen die mensen in de tijd dat mannen de macht overnamen, vertelden over het gevaar van de vrouw en de vrouwelijke seksualiteit, als het ware om te rechtvaardigen dat die nu met ferme hand onder de knoet was gebracht. We moeten de Griekse vrouwen wel in hun huizen opsluiten, was de boodschap van het bacchantenverzinsel, want kijk, dat gebeurt er als je vrouwen vrijlaat: ze worden totaal ontremde beesten die hun huizen en weefgetouwen in de steek laten en zelfs hun eigen zoons vermoorden. Het zijn verhalen uit de tijd niet lang nadat de oude matrifocale samenlevingen in het Middellandse-Zeegebied omvergeworpen waren door krijgerstammen uit het noorden. Er was een nieuwe machtsorde en een nieuwe religie, gedomineerd door mannelijke goden. De vroegere macht van de Grote Moedergodin en de echte vrouwen in de culturen die haar vereerden, boezemde mannen nog een vage oerangst in. Ze strooiden dus rare praatjes rond over de beestachtigheid van vrouwen, om het nieuwe vrouwenonderdrukkende regime te ondersteunen.

Je zou het kunnen vergelijken met wat Ethiopische vrouwen elkaar nog altijd wijs schijnen te maken – dat de schaamlippen van hun dochters tot hun knieën zullen groeien als ze niet afgesneden worden.

IK DENK DAT make-up in het algemeen bedoeld is om een vrouw eruit te laten zien alsof zij zojuist geweldige seks gehad heeft. Van goede seks word je mooier als vrouw, dus verf je het effect alvast op je buitenkant. Als je dat doet om aan de mannen in je omgeving of je eigen man een subtiele hint te geven – kijk eens, zo kan ik er uit zien als wij samen de liefde gaan bedrijven – is het ontroerend. Maar als je het doet om te scoren in de pikorde van vrouwen onderling, is het niet vrouwelijk, en niet verstandig. Onvermijdelijk voert die competitie naar een uitvergrote, karikaturale versie van het seksuele verzadigingseffect. Anders valt het niet op in onze razendsnel doorflitsende zapwereld. Want daar gaat het dan om – niet het effect op een geliefde of begeerde man, maar op het voltallige toekijkende publiek. Succes in de permanente schoonheidswedstrijd tussen vrouwen is een zelfdestructief succes.

De noodzaak jezelf inclusief je lichaam en je uiterlijk te verzorgen is een vanzelfsprekendheid waar ik uiteraard niet aan wil afdoen. Maar aan jezelf sleutelen om beter te kunnen concurreren met andere vrouwen heeft niets met liefde te maken en is ten diepste agressief. Daarom geeft het ook een terugslag: alle vrouwen, zonder uitzondering, worden onzeker door de concurrentie met andere vrouwen. Ook zeer mooie vrouwen, de winnaressen van de schoonheidswedstrijd, de modellen en filmsterren, twijfelen voortdurend of ze wel mooi genoeg zijn. Ben ik wel vrouw genoeg, slank genoeg, aantrekkelijk genoeg? Wordt mijn positie in de wedloop niet bedreigd? Wie zijn mijn rivalen en wat kan ik doen om ze te overtroeven? En zelfs op alledaags niveau loert de achterdocht: is het compliment van mijn vriendin welgemeend? Of zegt ze maar dat ze mijn haar leuk vindt zitten omdat ze stiekem liever heeft dat ik er belachelijk bijloop?

De strijd maakt concurrenten minder aardige mensen, minder liefhebbende partners, en uiteindelijk lijden vrouwen er zelf het hevigst onder. De onzekerheid wakkert de competitie aan, en de competitie voedt de onzekerheid.

Van mannen valt weinig steun te verwachten. Zeker, er zijn schattige mannen die hun eigen partner onvermoeibaar verzekeren dat zij de mooiste vrouw op aarde is. Maar de doorsnee, min of meer onrijpe man komt het wel goed uit als zijn vrouw of vriendin niet al te veel vrouwelijk zelfvertrouwen ontwikkelt. Een prinses stelt hogere eisen in bed dan de mooiste miss: de prinses kust geen kikkers meer. Ik geloof niet dat er sprake is van een bewuste verdeel-en-heersstrategie. Maar het is ongelooflijk makkelijk en verleidelijk voor mannen om het zelfvertrouwen van vrouwen te ondermijnen, door ze op duizend en een subtiele of grove manieren op hun onzekere plaats in de schoonheidscompetitie te wijzen. Een man moet wel veel van vrouwen houden, wil hij daarvan af zien.

In Lisdoonvarna, een dorp in het westen van Ierland, is er elk jaar in de herfst een Matchmaking-festival van een maand, waar vrijgezellen, mannen en vrouwen, aan elkaar gekoppeld worden. Ik ben er eens geweest om een reportage te maken voor een Nederlandse krant. De koppelaar van Lisdoonvarna, een prachtige oude Ierse boer met lichtblauwe ogen in een bruin verweerd gezicht, een schapenwollen kabeltrui en lange benen in kaplaarzen, vertelde me dat hij vroeger ook Miss- en Mister-Bachelor-verkiezingen organiseerde. Maar hij was met de missverkiezingen gestopt. Waarom? Hij had geconstateerd dat de meisjes er ongelukkig van werden, zei hij. 'Mister-Bachelor-verkiezingen zijn geen probleem, want jongens nemen het allemaal niet serieus en lachen erom als ze verliezen. Maar de meisjes trekken het zich persoonlijk aan als ze niet winnen.'

COMPETITIE IS EEN karakteristiek masculiene kwaliteit: mannetjes knokken om de toegang tot vrouwtjes. Er is natuurlijk niets tegen competitie tussen vrouwen onderling op het sportieve of intellectuele vlak, gebieden waar zij kwaliteiten kunnen ontplooien die niet specifiek vrouwelijk zijn maar algemeen menselijk. Maar strijd om het uiterlijk schoon ondermijnt het vrouwelijk zelfvertrouwen. Er zit een rare tegenstrijdigheid in, want de mooiste is niet de vrouw die de beste prestatie levert, maar de vrouw die het meest beantwoordt aan een standaard ideaal. De strijd gaat niet tussen individuen die laten zien hoe karakteristiek hun persoonlijkheid is, hoe uniek hun prestatie. Geen vrouw werpt haar originele haakneus in die strijd, geen meisje pronkt met merkwaardige en afwijkende lichaamsvormen. Het gaat ook niet om de allergrootste borsten, de allerlangste benen, of welke superlatief dan ook waarmee je je zou kunnen onderscheiden. De vraag is wie het meest naadloos past in de mal ontworpen door het vigerende ideaalbeeld. De mal varieert iets in de tijd – soms zijn de dijen dikker, soms moeten ze weer dunner – maar hij is altijd gebaseerd op de heersende norm ten aanzien van vrouwen. Wie zich het meest conformeert aan deze norm, scoort het hoogst. Hoe minder individueel je eruitziet, hoe beter je kansen. Maar concurrentie en competitie leiden juist tot individualisme, ze dienen om in mensen het vrije individu tot bloei te brengen. Je knokt je los uit de groep in je streven om in je eentje vooraan te komen. Strijden om de vraag wie het minst individueel en het meest algemeen is aan de buitenkant, moet wel tot onzekerheid leiden.

DE VROUWENBEWEGING heeft hier gefaald. De tuin-broeken van de jaren-zeventigfeministen sloegen nergens op, zich expres zo onaantrekkelijk en onvrouwelijk mogelijk maken om stoer te doen. Het was dan ook verfrissend dat *Opzij*, ik meen bij monde van Renate Dorrestein, feministen eens opriep zijden blouses te gaan dragen. Maar na het boek van Benoite Groult *Een eigen gezicht*, waarin de Franse schrijfster betoogde dat ze het als een bevrijdende en emanciperende actie had ervaren om een facelift te kunnen kopen voor zichzelf, moesten cosmetische ingrepen ook in feministische kringen mogen. Het heette een daad van zelfbewuste emancipatie om je eigen uiterlijk te bepalen. Vrijwel alle maatschappelijk actieve, geëmancipeerde vrouwen van boven de vijftig verven bijvoorbeeld hun haar. Waarom in godsnaam? Om er jong en vruchtbaar uit te zien, ik kan niet anders concluderen. Grijze muizen, dat zijn de dames die hun overgang aanvoeren als excuus om de echtelijke seks nu maar helemaal te stoppen, de seksueel mislukten of afgedankten. Als je een wilde meid bent die ook na de menopauze nog van wanten weet in bed laat je dat zien door je haar kastanjebruin, blond, zwart of oranje te verven. Maar het idee dat je vruchtbaar zou moeten zijn of er vruchtbaar zou moeten uitzien voor een opwindend en bevredigend liefdesleven is zeer onvrouwelijk. Karakteristiek voor de vrouwelijke seksualiteit en uniek voor vrouwen is juist dat je ook na de menopauze nog decennia lang een wonderschoon seksueel leven kunt genieten. De praatjes over vaginale droogte slaan nergens op – behalve op de winstmarges van de farmaceutische industrie. Uit onderzoek blijkt dat zulke problemen als sneeuw voor de zon verdwijnen zodra er een attente minnaar op het toneel verdwijnt.

Je eigen uiterlijk bepalen? Iedereen ziet er gewoon braaf uit zoals het hoort, tegenwoordig.

Ook Groults titel is natuurlijk een gotspe. De realiteit was dat ze haar eigen gezicht inruilde voor een gezicht dat iemand anders had verzonnen – de chirurg, geïnspireerd door het schoonheidsideaal van het moment. Je eigen gezicht, dat is het gezicht dat zich in de loop der tijd ontwikkelt uit de combinatie van genen, levenservaring en emoties, en fysieke omstandigheden zoals klimaat en dieet. Van jonge mensen kun je nog zeggen dat ze hun gezicht hebben meegekregen van hun voorouders, in hun genen. Maar naargelang je er langer mee leeft, wordt het steeds meer van jou persoonlijk. Roald Dahl deed de uitspraak: 'Na zijn vijftigste is elke vent verantwoordelijk voor zijn eigen gezicht.' Dat geldt uiteraard voor vrouwen ook. Ben je vaak boos of bezorgd, dan zet een rimpel zich vast in je voorhoofd. Lach je veel, dan krijg je kraaienpootjes. Als je geleefd hebt als een varken, krijg je langzaam maar zeker een varkenskop. Dat is je hoogst eigen gezicht. Een facelift zet daar een masker voor. En de vorm van het masker wordt bepaald door de claim op de permanente publieke beschikbaarheid van de jeugdige, vruchtbaar ogende, seksueel opwindende en aan de masculiene eisen aangepaste vrouw.

VROUWEN ZETTEN maskers op en dat zegt niet veel goeds over hun integriteit en betrouwbaarheid in de liefde.

Vingers omhoog wie nog nooit gelogen heeft over seks of liefde. Geen vingers? Dacht ik wel. De beroemde scène in de film *When Harry met Sally*, waarin Meg Ryan in een restaurant een orgasme nabootst door steeds hoger te hijgen met kleine kreetjes tot ze een luidruchtige climax bereikt, om aan haar tafelgenoot te bewijzen hoe makkelijk het is voor een vrouw *to fake*, bracht golven van gierende lachbuien teweeg onder de vrouwelijke kijkers. Pure herkenning.

Ook ik heb mijn valse partijtje meegeblazen. Ik herinner me de schok toen ik ontdekte hoe gemakkelijk het is om mannen voor te liegen. Simuleerde je eens, om wat voor reden dan ook, dan had je grote kans dat de man in kwestie verzuchtte: 'Dit was de beste seks die we ooit gehad hebben.'

Soms kwam een brokje huichel aan het licht door de loslippigheid van mannen onderling. Een vriendje van me riep mij achterdochtig op het matje. Ik had tijdens het liefdesspel tegen hem gezegd dat hij rook als een baby. En nu had hij van een vorige minnaar van mij gehoord dat ik tegen hem onder het vrijen precies hetzelfde had gezegd. Wie rook er nu werkelijk als een baby, die man of hij? Of geen van beiden? Want dat ze allebei precies hetzelfde roken, ging er bij hem niet in. Het was een penibele situatie en ik geloof niet dat ik me er goed heb uit gered.

Ook kwam ik wel eens leugens van andere vrouwen tegen in mijn eigen bed. Wat, voelde ik geen geweldige kick als hij binnen in mij klaarkwam? – vroeg een man verontwaardigd. Zijn vorige vriendin had hem bij hoog en bij laag bezworen dat haar grootste genot kwam op het moment dat ze zijn sperma met kracht tegen haar baarmoedermond voelde spuiten. Het schijnt dat meer vrouwen dit aan hun mannen vertellen. Natuurlijk voel je als vrouw heel goed wanneer je man klaarkomt. Na een laatste spurt van crescendo stoten houdt hij stil, hij maakt speciale geluiden, vertrekt zijn gezicht tot een grimas, het zweet breekt hem uit, enzovoort. Je kunt dikwijls ook wel voelen met je vagina dat er kleine schokjes door de penis gaan, een soort polsslag. Er zit absoluut een fascinerend element in de gebeurtenis. Deze man laat zich op dit moment helemaal gaan in mij, je zou zelfs kunnen dat hij zich overgeeft. Het is fijn dat hij tevreden is, dat hij geniet, dat hij aan zijn trekken komt, dankzij mijn lichaam. Fijn dat hij dat aan mij te danken heeft.

Ik heb helemaal niets tegen de mannelijke zaadlozing. Ik vind het vaak dierbaar wat er gebeurt en ik houd innig van mijn man als hij in mijn armen gekoesterd zichzelf in mij uitstort. Maar dat een vrouw met haar baarmoedermond het fysieke contact met het sperma zou kunnen voelen, is kolder. Als de baarmoedermond zo gevoelig zou zijn, zou een uitstrijkje onverdraaglijk veel pijn doen. Kom op zeg – als de ejaculatie het grootste fysieke genot is dat een vrouw ervaart tijdens de gemeenschap, moet het wel een armzalige bedoening zijn geweest.

VROUWEN LIEGEN zich te pletter. Het zijn *white lies*, leugentjes om bestwil of uit beleefdheid, die ze aan mannen vertellen. Je wilt hem gelukkig maken, je wilt dat hij zich een bink voelt, omdat je denkt dat hij daardoor meer van je zal houden. Eigenlijk wil je gewoon dat het minnekozen het doel bereikt waarnaar je verlangt, en als het dat niet echt doet, dan doe je maar net alsof.

Er worden tegenwoordig veel cynische grappen gemaakt over seks. Televisieseries laten vrouwen zien die ogenschijnlijk openhartig praten met vriendinnen en vrienden over hun seksuele avonturen. Je zou bijna het idee krijgen dat 'we' eerlijk zijn geworden. Maar als je een leugen in een trendy tijdschrift gepubliceerd krijgt of hardop in de microfoon roept, is het nog geen waarheid geworden. En vaak is het een kwestie van nieuwe leugens die de oude vervangen. Tederheid...? Bah, nee, wij vrije vrouwen willen geen laffe vanilleseks, we willen gewoon stevig geneukt worden en verder geen gezeur over liefde en al die onzin. (Want stel je voor dat we weer terug verwezen worden naar het romantische rijk van de vrouw waar we wegkwijnden van verveling.)

In de intimiteit van de gemiddelde slaapkamer is openheid nog altijd heel moeilijk te bereiken. Figuurlijk, maar zelfs letterlijk: de meeste mensen doen hun ogen dicht terwijl ze de liefde bedrijven met de persoon van wie ze het meeste houden. Om beter te kunnen voelen wat er te voelen valt, oké. Maar de concentratie op het voelen gaat ten koste van het persoonlijke contact. Met je ogen dicht sluit je de ander uit als individu en schep je de voorwaarden voor anonimiteit. Als je niet oppast, lig je wederzijds in elkaar te masturberen, met je hoofd in een eigengesponnen cocon. Waarom is het zo moeilijk met open ogen te vrijen? Het is voor mij vooralsnog een open vraag. Ik vermoed dat het te maken heeft met angst en kwetsbaarheid. Maar mijn onderzoek is ook op dit punt nog niet afgesloten.

VROUWEN LIEGEN tegen zichzelf net zo hard over seks als tegen hun mannen, en het keert zich tegen hen. Want als je je onvrede onderdrukt en liegt dat het heerlijk was, schat, moet je de volgende keer wel weer liegen. De hoofdpijntruc is ouderwets geworden, maar we verzinnen wel iets anders. 'Zie je dan niet dat ik moe ben?'

Ik kan verschillende oorzaken onderscheiden voor de vrouwelijke oneerlijkheid.

De eerste is het reeds beschreven opportunisme: je denkt met je aanmoediging of je complimenten een bepaald effect te bereiken, meestal dat je de man in kwestie aan je bindt, of dat hij een betere minnaar wordt. Het werkt niet, maar tegen de tijd dat je dat doorhebt, is het al een gewoonte geworden en blijf je het doen om de lieve vrede te bewaren.

De tweede oorzaak is gebrek aan realiteitszin. Vrouwen liegen tegen mannen en zichzelf omdat ze doorgewinterde fantasten zijn. De meeste vrouwen beginnen ermee als jonge meisjes. Ik ook. Eindeloos dagdroomde ik over wat er allemaal kon gebeuren tussen mij en de jongen op wie ik van een afstandje verliefd was. Stel dat ik hier liep en ineens fietste Peter langs en hij zei iets tegen mij, bijvoorbeeld 'Hallo!' en dan zou hij naar mij kijken en van zijn fiets afstappen, en hij zou vragen waar ik heen ging en bla bla bla en aan het eind zou hij mij zoenen...

Ergens in die jaren heb ik voor mezelf een wet opgesteld, een regel. Ik mocht van mezelf fantaseren zoveel ik wilde, op voorwaarde dat ik van tevoren honderd procent kon accepteren dat datgene wat ik fantaseerde, nooit in het echt zou gebeuren. Ik moest als het ware een contract tekenen met mezelf: hierbij doe ik plechtig afstand van de mogelijkheid dat mijn dagdroom werkelijkheid wordt. Want ik besefte dat het wel heel erg toevallig zou zijn als de gebeurtenissen precies zo zouden verlopen als ik bij elkaar gedroomd had. Dus elke fantasie die ik had, streepte de mogelijkheid door dat dit heerlijks ook werkelijk voor mij zou zijn weggelegd. Het werkte enigszins remmend op het dagdromen.

Laatst stuurde een vriendin mij een kopie van een pagina Proust, uit *A la recherche du temps perdu*, waarin de jonge Proust nota bene tot exact dezelfde conclusie komt als ik in mijn vroege puberteit. Hij fantaseert dat het meisje op wie hij verliefd is, Gilberte, die niets van hem wil weten, heimelijk toch dolverliefd is op hem en dat hij op een dag een brief zal krijgen waarin ze dat uitlegt. 'Iedere avond hield ik me onledig met het fantaseren van die brief, het was of ik hem las, zin voor zin. Opeens hield ik er mee op, geschrokken. Ik begreep dat, als ik al een brief van Gilberte zou krijgen, het in ieder geval niet díe zou zijn, aangezien ik het zelf was die hem net had opgesteld. En vanaf dat moment probeerde ik mijn gedachten met alle geweld ver te houden van de woorden die ik graag had gewild dat ze me schreef, uit angst juist die – de dierbaarste, de vurigst gehoopte – door ze te formuleren uit het veld der te verwezenlijken mogelijkheden te bannen.'

In new age-kringen heerst tegenwoordig de tegenovergestelde opvatting: alles wat je wenst, kun je bij elkaar fantaseren en als je dat maar krachtig genoeg doet, werkt het en komt het vanzelf naar je toe. Stel dat het waar is, dat gedachtenkracht een vorm van effectieve magie is, dan nog is het maar de vraag of het een goed idee is je leven bij elkaar te fantaseren, visualiseren, imagineren, of hoe het ook allemaal genoemd wordt.

Het resultaat zou zijn dat alle verrassing uit je leven verdwijnt; je hebt het immers zelf bedacht. Je krijgt dan alleen nog maar ervaringen die je al kent, er gebeurt nooit meer iets dat jij nooit verzonnen zou kunnen hebben. Ook Proust beschrijft dit bezwaar: 'Zelfs al zou het, bij onwaarschijnlijke coïncidentie, precies de door mij verzonnen brief zijn geweest die Gilberte me van haar kant had kunnen sturen, dan had ik, mijn eigen werk erin herkennend, niet het gevoel gehad iets te ontvangen dat niet van mijzelf afkomstig was, iets dat reëel was, nieuw, een geluk buiten mijn denkvermogen gelegen, onafhankelijk van mijn wil, werkelijk uit liefde geschonken.'

ALS JE ERGENS werkelijk naar verlangt, kun je er beter maar niet te veel plaatjes van in je brein hebben zitten. Mocht er ooit iets in het echt gebeuren dat ook maar enigszins lijkt op dat wat je van tevoren bedacht had, dan is het moeilijk open en onbevooroordeeld naar de werkelijkheid te kijken, omdat de plaatjes in de weg zitten. Je loopt de kans toch in de bekende plaatjes te blijven steken en de realiteit uit het oog te verliezen. Het is een bekend fenomeen bij ideologieën dat de fanatieke aanhangers ervan allerlei pijnlijke feiten verdoezelen, verdringen en ontkennen om hun ideaalbeeld intact te kunnen houden.

In seks en liefde treedt dat fenomeen ook op en het is net zo schadelijk. Hoe meer je fantaseert, hoe minder je de liefde zelf een kans geeft.

Bovendien is het tegenstrijdig met het kerndoel. Het is niet erg respectvol of liefdevol om een persoon van vlees en bloed die voor je neus staat, achter wolken van fantasieplaatjes te laten verdwijnen.

Vrouwen hebben meestal ritsen plaatjes over de liefde in hun hoofd, zo niet hele films, en die zitten de werkelijkheid in de weg. Vandaar dat ze het met de waarheid niet zo nauw nemen.

Het zou geen probleem hoeven te zijn, ware het niet dat je met leugens en verdichtsels, verdringing en ontkenning nooit een koninklijk niveau bereikt. Het psychologische archetype van de prinses of koningin is een vrouw die zich kan permitteren om de waarheid te spreken over zichzelf en over haar gevoelens. In het sprookje van de prinses op de erwt wordt dat duidelijk gemaakt. Er klopt een verregend prinsesje bij een paleispoort aan en vraagt om onderdak. Ze ziet eruit als een dweil en om te checken of ze werkelijk prinses is, legt de koningin-moeder een erwt onder een stapel zachte matrassen in het bed in de logeerkamer. De volgende ochtend informeert ze hoe het meisje geslapen heeft. 'Helaas niet zo goed, mevrouw,' antwoordt het dappere kind. 'Er lag iets hards in mijn bed, ik heb me bont en blauw gestoten.' Niet alleen heeft ze hiermee haar grote gevoeligheid in bed getoond, een prinses waardig, maar ook is duidelijk dat ze geen leugentjes om bestwil of uit beleefdheid verkoopt over haar seksuele ervaringen. Zij is geen dweil; zij is van koninklijken bloede.

HOOFDSTUK 8

Het nut van kikkers

De Italiaanse vrienden die ik had, een kwart eeuw geleden, noemden een meisje wel eens snuivend een *fica
d'oro*, een gouden vijg. Wat ze bedoelden, was: die trut
denkt dat ze iets speciaals heeft tussen haar benen. Die
laat zich niet makkelijk verleiden. *Playing hard to get*
heette dat gedrag, het was ouderwets maar er waren
nog wel enkele meisjes die het zich konden permitteren:
heel mooie, heel sexy meisjes die op heel rijke mannen
uit waren. Maar er waren inmiddels ruimschoots makkelijke meisjes voorhanden en mijn vrienden hoefden
zich dan ook niet te verwaardigden om veel moeite te
doen. De gouden vijg was een uitstervend fenomeen.

Het waren de dagen waarin het MAI, Maatschappelijk Informatie- en Adviesbureau, nog adverteerde op
de perrons met de slogan 'Meisje, zorg dat men je blijft
respecteren.' Maar daar lachten we om.

Moeilijke meisjes raakten hals over kop uit de tijd.
Meisjes en vrouwen vermanden zich. Je experimenteer-
de, omdat dat hoorde. Leve de vrijheid, of je er gelukkig
van werd of niet. Maar de makkelijke meisjes hadden
het niet altijd even makkelijk. 'Als je achteraf lag te huilen in je bed vanwege het gebrek aan liefde dat je had ge-
voeld, dan verborg je dat, en je nam het jezelf kwalijk,'
verwoordde Daniëlle Roex de gevoelens van veel vrouwen in die tijd.

EEN TERUGSLAG KON niet uitblijven.

In 1995 schreven Ellen Fein en Sherrie Schneider hun bestseller *The Rules – Time-tested Secrets for Capturing the Heart of Mr. Right*: adviezen die zo uit hun grootmoeders kabinet kwamen, om het hoofd te bieden aan flirterige, trouweloze losbollen en uit het aanbod aan hitsige mannen een Ware Jacob te selecteren. Vraag nimmer een man ten dans, neem nooit het initiatief voor een gesprek. Wees mysterieus, glimlach veel, zeg weinig, sta de man hooguit een kuise kus toe bij het afscheid. Bel hem nooit, bel zelden terug als hij op je antwoordapparaat staat. Fantaseer niet over hem, geef jezelf niet bloot, raak niet voorbarig emotioneel betrokken. En het belangrijkste: ga pas met hem naar bed als je zeker weet dat hij met je wil trouwen. Want mannen zijn geboren om uitdagingen aan te gaan, schreven de auteurs, en als je die uitdaging wegneemt, verflauwt hun belangstelling.

Er kwamen Rules-netwerken, Rules-workshops, Rules-therapeuten en de twee auteurs vroegen tweehonderdvijftig dollar per uur voor telefonische consulten. Legioenen Amerikaanse vrouwen noemden zichzelf 'Rules-girls' en probeerden geheel tegen de tijdgeest in weer een ouderwetse ijzeren zelfdiscipline te onwikkelen en niet meteen met elke leuke man die ze tegenkwamen in bed te springen. Leuke mannen waren namelijk geen bondgenoten, hadden ze begrepen van Fein en Schneider, maar tegenstanders – totdat bewezen was dat de man *commitment* bood.

Feministen rolden over de grond van het lachen. Werd hier de holenman met de knots pontificaal van stal gehaald? Sommigen schreven zure commentaren. Was de strijd van de afgelopen eeuw voor niets geweest? Vrouwen hadden toch zeker het volste recht op hun eigen ritsloze nummers, hun vrijheid?

In '96 verscheen *The Code – Time-tested Secrets for Getting What You Want from Women – Without Marrying Them!* van grappenmakers Nate Penn en Lawrence LaRose. 'Be a Beast,' adviseerden zij hun lezers: 'Wij zijn zelf vaak beesten genoemd door vrouwen, en het was elke keer een compliment.'

DE VERBETEN STRIJD tussen de geslachten was intussen ook een wetenschappelijk issue geworden. Johan van der Dennen, aan wie ik de beschrijving van de kikkerman ontleende in hoofdstuk één van dit boek, eindigt zijn essay over de reproductieve strategie van mannen met een citaat van primatologe Meredith Small: '*Like an open wound that never heals, the conflict between males and females will never be resolved because the evolutionary interests of the sexes are forever locked in opposing position.*' (Als een open wond die nooit heelt, zal het conflict tussen mannetjes en vrouwtjes nooit worden opgelost omdat het evolutionaire belang van beide seksen voor eeuwig vastgeklonken ligt in tegenovergestelde posities.) Van der Dennen kan daar alleen maar van harte mee instemmen, schrijft hij.

Man en vrouw zijn beiden genetisch geprogrammeerd om zelfzuchtig hun eigen genen door te geven, is het idee. Mannetjesdieren doen dat door zoveel mogelijk te ejaculeren in zoveel mogelijk verschillende vrouwtjes, en mensenmannen dus ook. Vrouwtjes hebben de beschikking over een aantal strategieën om het beste zaad te pakken te krijgen. Bij dieren die voor de opvoeding van hun jongen geholpen moeten worden door het mannetje, zoals vogels en mensen, komt ook wel de 'strategie van de huiselijke haard' voor (Van der Dennen neemt deze term over uit een tekst van Richard Dawkins uit het jaar 1976). De vrouwtjes laten een partner pas seksueel toe na een uitgebreid ritueel van hofmaken en een aanzienlijke investering van zijn kant. Zedigheid kan in een populatie van zedige wijfjes en flirterige mannetjes in het voordeel zijn van de zelfzuchtige genen van een vrouw, want met haar afhoudende reserve selecteert het wijfje bij voorbaat het soort mannetje dat bewijst trouw en volhardend te zijn.

Kortom, het is een knokpartij, is de implicatie – ook bij mensen. Mannen kunnen er niets aan doen dat ze er vooral naar streven hun zaad uit te storten in elk willig wijfje dat ze maar tegenkomen en vaak ook in onwillige wijfjes. Jammer dames, maar het is nou eenmaal onrechtvaardig geregeld in de natuur. Je kunt je best doen met de truc van de zedigheid, en misschien win jij ook eens en krijg je een vent die je tijdelijk trouw blijft. Als je rationeel denkt, probeer je het niet eens.

INZICHT IN DE evolutiebiologie is tot op zekere hoogte leerzaam. De grote verdienste ervan is misschien wel dat het duidelijk heeft gemaakt dat er wel degelijk aangeboren verschillen in motivatie en *drive* bestaan tussen mannen en vrouwen als zodanig. Dat opent de deur naar een vrouwvriendelijker bevrijdingsbeweging voor de vrouw, je zou kunnen zeggen een feminien feminisme. Het lijkt bijvoorbeeld alleszins aannemelijk dat de competitie en concurrentie tussen mannen, de strijd om de dominantie die uiteindelijk geleid heeft tot grote prestaties en technologische vooruitgang, evolutionair-biologisch gestimuleerd is door de mannelijke drang om zoveel mogelijk indruk te maken en daardoor bij zoveel mogelijk vrouwen seksueel succes te hebben. Feminiene feministen kunnen dus rustig afzien van het kopiëren van de mannelijke geldingsdrang. Waarom zou je zulk onderontwikkeld, subhumaan, om niet te zeggen achterlijk gedrag kopiëren? Om het in de woorden van ex-minister Herman Heinsbroek te zeggen, want hij kan het weten: 'De mannen werken zich het lazarus, krijgen misschien wel aanzien, maar ook een maagzweer en een hartinfarct, gaan eerder dood, gaan aan de drank en zijn vaak doodongelukkig. Kijk naar het bedrijfsleven: negenennegentig procent zegt: ik ga het helemaal maken, maar één procent lukt dat. Al die anderen raken tegen hun veertigste in een midlifecrisis, want dan is het voorbij; ze hebben het niet gemaakt en daarna zal het nooit meer lukken. Die weg moeten vrouwen toch niet volgen?'

HET GROTE VERSCHIL tussen de biologische reproductieve taken van man en vrouw werpt ook een ander licht op het Dossier Klaarkomen m/v. In biologische zin is een man die klaarkomt namelijk inderdaad klaar, althans voorlopig, totdat hij weer nieuw zaad heeft geproduceerd. Voor vrouwen ligt dat anders. Om succesvol hun genen door te geven, hoeven zij slechts enkele malen bevrucht te raken, evenveel keer als het aantal kinderen dat zij menen te kunnen grootbrengen. Daarna moeten ze die vruchten voldragen, baren, zogen en opvoeden tot zelfstandigheid. Het bevrucht worden is maar een mijlpaaltje in een lange reeks van taken die in totaal tientallen jaren in beslag zal nemen, tot de kinderen het huis uit zijn, bij wijze van spreken. Te stellen dat een vrouw ooit 'klaar' komt bij verhoogd seksueel genot, gepaard met sterkere doorbloeding en overvloediger afscheiding van vaginaal vocht, is dan ook een nogal kortzichtige mannelijke projectie. Hij is klaar, maar zij niet, integendeel – ze begint misschien pas.

De formulering is dus bij uitstek mannelijk en schept nodeloos verwarring. Voor de meeste vrouwen is een orgasme verrukkelijk en uiterst lonend, maar niet direct aanleiding om er dan ook maar meteen een streep onder te zetten, zich om te draaien en te gaan slapen. Veel vrouwen hebben zichzelf aangewend om tevreden te zijn met het eerste orgasme, omdat hun partners dat ook zijn en er dus niet meer in zit. Het is natuurlijk ook beter dan niets. Maar de waarheid is dat vrouwen veel meer orgasmes kunnen hebben per liefdesdaad, dat elk volgende orgasme nog verrukkelijker en lonender is, en dat afgescheept worden met één, alleen omdat de man in kwestie zelf voorlopig weer klaar is met zijn biologische functie, vaak een subtiele teleurstelling in een vrouw achterlaat, die ze doorgaans met de mantel der liefde bedekt. (Maar waar komt dat slechte humeur vandaan, de volgende dag?)

Vrouwen zijn eigenlijk nooit klaar, niet met de liefde, maar zelfs niet in biologische zin. Nieuw inzicht stelt dat vrouwen ook na de menopauze nog altijd een uiterst belangrijke evolutionaire taak hebben, namelijk hun dochters en schoondochters meehelpen met de voedselvoorziening. De menopauze bestaat niet bij dieren, alleen bij mensenvrouwen, en er zijn allerlei aanwijzingen dat grootmoeders van vitaal belang zijn geweest in de ontwikkeling van het menselijk brein. Doordat zij helpend en voedend aanwezig waren, konden moeders het zich als het ware permitteren om baby's te baren in een hulpbehoevend stadium, met relatief grote hersenpannen en hersens die zich nog lang na de geboorte konden blijven ontwikkelen.

A woman's work is never done.

TOT ZOVER HEB IK geen ruzie met de wetenschap.

Maar die stoere theorie van de hopeloze en tot in eeuwigheid gedoemde strijd tussen de seksen bevalt mij niet.

Ten eerste overtuigt het mij allerminst dat de vrouwelijke strategie van de huiselijke haard, of van de gouden vijg, er uitsluitend op gericht zou zijn langdurig hulp van de man te krijgen bij de opvoeding van de kinderen. In traditionele of primitieve samenlevingen zijn het juist de vrouwen die in calorische waarde gemeten de betere voedselverzamelaars zijn, lees ik in het veelgeprezen werk *Moederschap* van de Amerikaanse biologe Sarah Blaffer Hrdy. De mannen jagen vooral op prestige-objecten waarmee ze kunnen laten zien hoe sterk ze zijn. Vrouwen hebben mannen niet echt nodig om lichamelijk te overleven, met of zonder kinderen. Het is me vaak opgevallen dat ik het als alleenstaande moeder zelfs in allerlei opzichten makkelijker had dan mijn gepartnerde vriendinnen, die naast hun andere taken ook nog rekening moesten houden met de emotionele eisen van hun man. Je kostje bij elkaar scharrelen lukt heus wel, ook met een baby op je heup, zoals miljoenen werkende moeders over de hele wereld dag in dag uit bewijzen. Er zijn meer moeders op aarde die er in de praktijk van alledag alleen voor staan, dan moeders die in de voedselvoorziening en opvoeding trouw worden bijgestaan door hun mannen, en dat is altijd zo geweest. De betrokken, actief vaderende vader is een recente uitvinding, en op grote schaal bestaat hij nog niet.

BINNEN DE WETENSCHAP zelf heerst trouwens al geen consensus. Zo knaagt de Engelse zoöloog Robin Baker met zijn concept van de 'sperma-oorlog' aan het gevestigde beeld. Op grond van een onderzoek onder honderd vrouwen die bereid waren een paar maanden lang na elke coïtus het zaad uit hun schede in een bekertje op te vangen ('Even hoesten en het loopt terug') en aan zijn onderzoeksteam te overhandigen, constateerde hij dat dertig van hen in de proeftijd overspel hadden gepleegd. Drie van de tien vrouwen zet hun man de horens op. *Ecce femina* – zo zijn vrouwen nou.

Bakers theorie over het concurrerende zaad, de sperma-oorlog, waarbij de vaginale chemie een beslissende factor is in de vraag wie de vrouw uiteindelijk zal bevruchten, is op dit onderzoek gebaseerd. Zijn theorie is nog niet bewezen, geeft Baker ook zelf toe. Mij lijkt het dat zijn onderzoeksresultaten vertekend zullen zijn door de selectie van vrouwen die het onderzoek zelf met zich meebrengt. Je kunt je voorstellen dat er in een populatie vrouwen die bereid zijn om aan een dergelijk experiment mee te werken, een verhoogde kans is op masculiniteit. Vrouwelijke vrouwen die zichzelf blijven, hebben wel wat beters te doen in bed dan het zaad van hun minnaar op te hoesten ten behoeve van de wetenschap. Hoezo zaad? Ging het daarom dan? Misschien heeft hij deze keer niet eens zijn zaad gestort. Maar vrouwen die succesvol geassimileerd zijn in de mannenwereld, vinden Bakers ideeën opwindend en belangrijk genoeg om na de gemeenschap op te springen en bereidwillig zo'n bekertje tussen hun benen te houden. Ongetwijfeld zou in deze vrouwen ook een relatief hoog testosterongehalte worden aangetroffen. Hormonen en emoties werken op elkaar in, zoals inmiddels bekend is, en een vrouw die haar uiterste best doet op de masculiene manier geëmancipeerd te functioneren, zal ongetwijfeld vanzelf steeds meer testosteron gaan produceren. En zichzelf er ondertussen van overtuigen dat overspel een kwestie is van emancipatie.

Schieten we iets op met de theorie van Baker? Ach welnee. Hij is al net zo kortzichtig als die van Small en Van der Dennen. Het schijnt dat Baker na het succes van zijn sperma-oorlog samen met zijn veel jongere tweede vrouw aan het bewijzen is geslagen dat gelijktijdig klaarkomen evolutionair nut heeft. De vrouw zou vier keer zoveel kans lopen op bevruchting wanneer zij op hetzelfde moment een orgasme beleeft als de man. Het is aandoenlijke mannelijke pseudo-romantiek, die als het ware een hoffelijk gebaar probeert te maken naar het vrouwelijk recht op orgasme maar tegelijkertijd met zijn volle wetenschappelijk gewicht het recht op het mannelijk orgasme als doel en eindpunt van elke vrijpartij veilig stelt.

Het eenzijdig masculiene gedachtegoed haalt aan beide kanten zijn ideologisch gelijk: ofwel mannen zijn nou eenmaal veelwijvers en vrouwen kunnen dat maar beter accepteren, ofwel vrouwen zijn net als mannen en moeten niet huichelen, maar ook hun gang gaan en mannen met rust laten.

ZIJN VROUWEN VAN huis uit net zo promiscue als mannen? Dat is nog maar de vraag. Ik heb dikwijls het gevoel dat polygame vrouwen hun best doen om aan de mannelijke verwachtingen te voldoen, om hen gelijk te geven in hun hoopvolle hypothese dat er weinig tot geen verschil bestaat tussen man en vrouw, in bed. Vaak zie je bovendien dat zeer promiscue vrouwen psychisch en in hun gevoelsleven ernstig beschadigd zijn. Catherine Millet bijvoorbeeld, schrijfster van *Het seksuele leven van Catherine Millet* waarin ze haar ongebreidelde promiscuïteit openhartig beschrijft, voldoet aan deze beide criteria. Catherines jeugd was diep traumatisch, weten we uit de interviews. Ze groeide op in een liefdeloos gezin met een geesteszieke moeder die uiteindelijk zelfmoord zou plegen. Bij deze gestoorde moeder sliep zij tot haar zeventiende in hetzelfde bed. Catherine groeide dan ook eenzaam en verlegen op, met een afkeer van haar eigen lichaam.

Haar man Jacques Henric is voyeur en dol op anonieme seks in donkere hoekjes, ook dat is bekend. Haar boek schreef Catherine pas jaren nadat ze was gestopt met haar anonieme seksuele confrontaties. Haar werk is natuurlijk ook te zien als een dappere poging om de seksuele vrijheid die zij in mannen tegenkomt, in zichzelf te realiseren. Maar voor mij is Catherine het prototype van een in haar gevoelsleven zwaar gekwetste maar succesvol geassimileerde vrouw. Ze doet alles wat ze kan om de man in het algemeen en haar eigen man in het bijzonder te behagen, en als ze het niet meer kan opbrengen om het in den vleze te doen, dan schrijft ze een boek waarmee ze zijn goedkeuring afbedelt.

Soms gaan vrouwen vreemd om de emotionele balans in hun relatie met een overspelige man gelijk te trekken. Het verhaal 'Eilandliefde' van Vonne van der Meer uit de bundel *Nachtgoed* sluit hierbij aan. Een vrouw voelt zich verplicht om een buitenechtelijke affaire te hebben, omdat haar man er ook een gehad heeft en er geen andere mogelijkheid is om weer quitte te komen staan in de relatie. Ze heeft helemaal geen zin in een affaire, ze houdt van haar man en heeft hem vergeven. Ten slotte verzint ze een minnaar en laat wat subtiele informatie los over een bij elkaar gefantaseerd slippertje, waarmee haar man tevreden is.

HOE DAN OOK is het voor de meeste vrouwen een ervaringsfeit dat mannen in het algemeen vaker en makkelijker vreemdgaan dan zijzelf. Vaak is het uiterst raadselachtig hoe een weldenkende, aardige man in staat kan zijn tot ontrouw en overspel. Want het is een feit: niet alleen primitieve, onvolgroeide mannen hebben ruimte voor meer dan één vrouw, of menen die ruimte te hebben. Ook veel ontwikkelde, integere, liefdevolle en spiritueel geïnteresseerde mannen geloven dat zij de sleutel op diverse poorten naar het paradijs in hun zak hebben. Bevruchten is zonneklaar niet hun doel. Hoe kunnen ze van het ene bed in het andere hoppen?

Natuurlijk zit er ook in weldenkende, aardige mannen doorgaans nog een flinke portie kikker. Maar als je zo'n man vraagt eerlijk en openhartig uit te leggen wat er door hem heen gaat, hoe het mogelijk is dat hij seks heeft met zijn maîtresse en de dag daarop weer met zijn eigen vrouw, hoor je vaak iets in de trant van: 'Tja, hier is een vrouw die bevredigd wil worden en ik kan dat voor haar doen – en daar is ook een vrouw die bevredigd wil worden en ik wil haar ook graag gelukkig maken.' Mannen snoeven, ze scheppen op, ze overschatten zichzelf – het is allemaal waar. Maar ontrouwe mannen willen niet zoveel mogelijk kindertjes verwekken. Ze willen behalve zichzelf gewoon zoveel mogelijk vrouwen bevredigen met hun wonderbaarlijke, genotschenkende toverstaf.

En niet alleen naïeve, dwepende groupies hunkeren naar de aandacht van machtige en succesvolle mannen.

Ook veel intelligente, zelfstandige en assertieve vrouwen geven de voorkeur aan succesvolle mannen die bewezen hebben hoog te scoren in emotionele intelligentie, althans, mannen die kennelijk in staat zijn hun directe bevrediging uit te stellen voor een verder gelegen doel. Bevrucht worden is wel het laatste waar deze vrouwen naar streven. Misschien geloven ze naïef en onbewust dat die mannen ook beter in staat zijn tot Echte Liefde. Monica Lewinsky dacht in elk geval dat Bill Clinton echt van haar hield. En veel overspelige mannen geloven echt dat ze vrij en onthecht genoeg zijn om weg te komen met hun dubbele agenda's.

Vergissen is menselijk.

Overspelige relaties resulteren doorgaans in smartelijk hartzeer aan de kant van de betrokken vrouwen en een hoop kopzorgen aan de kant van de mannen. Andersom komt ook voor. Maar niet zelden leveren ontrouwe toestanden ook psychologische winst op voor beide partijen, in de vorm van toegenomen levenservaring, zelfvertrouwen, zelfkennis, of tenminste kennis van het andere geslacht. Aangezien de mens, elk mens, bezig is zoveel mogelijk mens te worden, moeten we aannemen dat er ook in de pijn van het hartzeer en de stress van de kopzorgen een psychologisch groeimiddel verscholen is. Het experimenteren levert iets op: wie na verloop van tijd bedenkt dat een monogame een-op-eenrelatie de voorkeur verdient, doet dat uit vrije wil en niet omdat het moet van kerk, ouders, partner of fatsoensnorm.

SOMMIGE MANNEN worden echte Don Juans. Ze verleiden vrouwen door honderd procent sensuele aandacht aan ze te besteden zolang ze in de buurt zijn, maar zijn in staat de deur achter zich dicht te trekken en direct daarop honderd procent sensuele aandacht aan de volgende vrouw te besteden. Het prototype van een Don Juan is een man die veel van vrouwen houdt, maar zich niet aan een enkele vrouw kan of wil binden. Don Juans zijn niet te verwarren met Casanova-types, die vrouwen haten of minachten en hun talloze veroveringen voor elkaar krijgen met list en bedrog. Casanova's voornaamste doel is de vrouwen zoveel mogelijk te vernederen; hij wil waarschijnlijk elke vrouw straffen voor de gebreken van zijn moeder. Don Juan wil waarschijnlijk zijn moeder redden in elke vrouw, maar is bang om door haar verslonden te worden. Hij heeft meestal een zwakke of afwezige vader gehad en daardoor heeft hij te weinig binding gekregen met een volwassen mannelijkheid om van een vrouw te houden à la Lawrence: in totale naaktheid van lichaam en geest. Hij zet schotjes in zijn geest tussen zijn diverse relaties, hij fragmenteert zichzelf. Hij is niet volwassen genoeg om te begrijpen wat vrijheid is, en denkt dat vrijheid betekent dat je niet kiest in de liefde.

Connie Palmen zei over haar boek *Geheel de uwe*, op de vraag van een interviewer waarom ze eigenlijk over die vrouwenversierder schreef: 'Wat het meeste vragen bij me opriep, was wat voor soort vrouw zich laat versieren. Wie zoekt er zo'n man van wie je zeker weet dat hij je ontrouw zal zijn? Wat is de aantrekkingskracht van ontrouw? De vrouwen die ik gekozen heb, zijn gewend aan een eenzijdige verhouding, waarbij het niet de bedoeling is er een normale liefdesrelatie van te maken – iets wat ze delen met de Don Juan, die daar heel slecht in is.'

De pijn van ontrouw brengt bewustzijn – dat is dan

ook de functie van pijn – en dwingt de gepijnigden om zich met het eigen innerlijk bezig te houden. Plak mijn theorie van de passende partner erop en je ziet dat de geliefden van Don Juans zelf nog niet in staat zijn tot liefde in totale naaktheid van lichaam en geest. Daarom kiezen ze een man die nog niet in staat is tot werkelijke vrijheid, en die geen keuze kan maken.

HET IS GEWELDIG dat er informatieve romans bestaan zoals *Geheel de uwe*, maar ik vind het niet genoeg. Volgens mij moeten vrouwen veel meer essentiële informatie uitwisselen. Minnaressen en echtgenoten zouden bijvoorbeeld hun gezamenlijke liefdesobject openlijk moeten kunnen bespreken. Wat zegt hij tegen jou? Wat belooft hij je? Waar heeft hij behoefte aan? Exen en nieuwe vriendinnen kunnen oneindig veel van elkaar leren over de man met wie zij emotionele banden hebben. Natuurlijk doet dat pijn. *So what?* Pijn is geen reden om iets te laten, integendeel. 'Een mens is zo groot als zijn vermogen om te lijden,' zei de Zwitserse psychiater Alice Miller. Zusterschap in liefdeszaken zou een revolutie zijn. Waarom is dit eigenlijk geen *hot issue* geworden van de vrouwenbeweging? Waar blijven de artikelen in al die vrouwenbladen die zichzelf zo geëmancipeerd vinden?

Zelfonderzoek, zelfkennis, ontwikkeling – daar gaat het om tussen het breken en het lijmen van de harten door. Langzaam maar zeker lossen misschien de kleverige claims van de hechting op en kun je je partner liefhebben zoals hij is, en vrijlaten.

HOOFDSTUK 9

De boze heks en de gouden bal

Gebroken harten, zelfkennis, vrije keuze, onthechting en echte liefde komen in de dierenwereld niet voor. De vraag of er een strijd is tussen de seksen die via de evolutiebiologie op dierlijk niveau verklaard kan worden, is daarmee eigenlijk al beantwoord.

De evolutiewetenschap heeft een blinde vlek: ze doet alsof mensen alleen maar dieren zijn. Ze haalt daarmee de mens een niveau omlaag. Het is een typische fout van onze tijd en het gebeurt over de hele linie. Dieren behandelen we alsof het planten zijn – we zetten ze vast in rijtjes en oogsten ze als ze rijp zijn om geplukt te worden. Planten behandelen we alsof het mineralen zijn – we plaatsen ze op water en steenwol en voegen chemicaliën toe. Maar planten zijn planten, ze hebben aarde nodig en zonlicht, regen en wind. Dieren zijn dieren, ze hebben beweging nodig en natuurlijk groepsgedrag. En mensen zijn mensen.

Juist op een paar gebieden die nauw met elkaar te maken blijken te hebben, namelijk zelfbewustzijn, communicatie, en seksualiteit, is de mens volstrekt uniek en radicaal anders dan alle diersoorten. Te zeggen dat seks iets te maken heeft met het dier in de mens, is net zo onzinnig als de bewering dat mensen ongeveer op dezelfde manier met elkaar communiceren als dieren, alleen wat ingewikkelder. Alle informatie in de evolutie-biologische tractaten over Japanse makaken, goudspechten, driedoornige stekelbaarzen, fruitvliegjes, bidsprinkhanen en zeerobben verhult geen moment het fundamentele feit dat seks bij alle diersoorten behalve de mens een kwestie is van instinct. Seks is iets wat dieren overkomt – in het paarseizoen of in de nabijheid van duidelijk zichtbaar vruchtbare partners, of om een dominante positie te bevechten die uiteindelijk weer in blinde, gehoorzame dienst staat van de voortplanting. De seksuele impuls is in alle dieren, de mensapen incluis, iets waardoor ze zich laten leiden. Te stellen dat dieren streven naar en genieten van seks is een projectie, een antropomorfistische gedachte. Dieren hebben geen keuze, als het gaat om hun biologische functies. Zelfs bonobo's, die in hun seksueel gedrag meer dan andere mensapen op mensen lijken, denken er niet bij na, ze fantaseren er niet over, voelen zich er niet schuldig over, reflecteren niet, filosoferen niet, doen geen onderzoek, laat staan emotioneel zelfonderzoek. Zo mogelijk nog essentiëler: dieren kunnen allerlei trekken hebben die lijken op een soort persoonlijkheid, maar er is geen sprake van geestelijke groei en ontwikkeling. Dieren worden bij het ouder worden hooguit meer ervaren, behendiger in het verzamelen van voedsel en het ontwijken of overwinnen van vijanden. Hun geest is dan echter niet verder gerijpt. Dieren hebben geen idealen die ze nastreven en min of meer verwerkelijken in de loop van hun leven. Ze hoeven geen weerstand te bieden aan verleidingen, ze kennen geen dilemma's en zware keuzes, ze hebben geen besef van het goede, het schone en het ware. Ze maken geen ontwikkeling door in de Masloviaanse zin, als gezond individu dat verschillende stadia van psychologische rijping doorloopt en uiteindelijk doorgroeit naar zelf-actualisatie en zelf-overstijging.

Mensen wel, tenminste als het goed is.

ER GAAPT DUS een peilloos diepe kloof tussen alle soorten dieren aan de ene kant, en de mens zoals hij kan zijn, aan de andere kant. Dat komt dan ook duidelijk tot uiting in de seksualiteit. Op de overgang wees ik al – nog een aantal decennia lang na de menopauze kunnen en willen vrouwen vrijen, zonder enige kans op bevruchting. Een fenomeen dat bij geen enkele diersoort aangetroffen wordt. Aan vrouwen is bovendien niet te zien of ze vruchtbaar zijn of niet; de ovulatie is verborgen. Of wij een seksueel contact kunnen en willen hebben, is bij de mens dus volstrekt onafhankelijk van de voortplanting. Het gaat bij onze soort kennelijk om iets anders dan alleen het doorgeven van genen.

Uniek menselijk zijn alleen al die twee sublieme voortbrengselen van het zelfbewustzijn van de mens, de twee voorlopige piekprestaties van het leven op aarde: de ontwikkeling van het ego resulterend in vrijheid, zelfstandigheid en emotionele onafhankelijkheid – en de liefde in de vorm van belangeloze belangstelling. Mensen zijn geen kuddedieren maar vrije individuen, althans in potentie, en mensen zijn in staat tot onzelfzuchtige liefde. Beide zijn vrijwel altijd het resultaat van een innerlijk groeiproces. Je wordt er niet mee geboren, je moet ze jezelf eigen maken dankzij strijd en louterend lijden.

En de evolutie in de mens als soort gaat ook alsmaar door. Is het niet een beetje naïef om ervan uit te gaan dat er allerlei eigenschappen door verandering en mutaties tot stand zijn gekomen in een evolutieproces van duizenden of zelfs miljoenen jaren lang, net zolang tot de mens ontstond, en vervolgens met een pokerface te beweren dat de ontwikkeling hier en nu tot een abrupt einde gekomen is, en dat de mens is zoals hij is en verder altijd zo blijven zal, tot in eeuwigheid, amen? Hoor die apenkop van een Meredith Small er eens op hameren in het citaat in het vorige hoofdstuk: volgens haar zal het conflict tussen mannetjes en vrouwtjes *nooit* worden opgelost omdat het belang van beide seksen *voor eeuwig* vastligt in tegenovergestelde posities. Ten overvloede noemt ze dat nog eens een *nooit* helende wond.

De paradigmata van de westerse wetenschap blijken, zoals we allemaal weten, van tijd tot tijd incorrect, wanneer ze weer eens worden ingehaald door voortschrijdend inzicht. Alleen al daarom is die stelligheid tamelijk dwaas. Als iets zich ontwikkelt, is het wel de mens, juist op de gebieden waarin we van dieren verschillen: zelfbewustzijn, taalontwikkeling en seks. Onze taalontwikkeling gaat alsmaar voort, ons zelfbewustzijn verandert mee met de mate van beschaving en seks is daarbij vermoedelijk niet alleen een ontregelende, ook een stuwende factor.

SEKS IS EEN motiverende prikkel die ons de ontwikkeling in trekt, lokt, zuigt, duwt en slaat – die ons eindeloos uitnodigt tot geestelijke groei.

Op het allerlaagste niveau is er misschien inderdaad nog een strijd tussen de geslachten zoals de evolutiebiologen die prediken. De laagontwikkelde macho-man wil zijn zaad over zoveel mogelijk vrouwen verspreiden. Op dit niveau zijn mannen vaak openlijk of heimelijk trots op hun bastaardkinderen, en vrouwen proberen het zaad van de sterkste macho te pakken te krijgen. Ze worden bijvoorbeeld per ongeluk expres zwanger van beroemde mannen. Als er genoeg ervaren, gescoord, genoten en geleden is, als de maat vol is met andere woorden, groeit men door naar het volgende geestelijke stadium. Het gaat niet meer om voortplanting of om een veilig nest. Het genot en de dankbaarheid die seksuele partners onderling uitwisselen zijn effecten, waarmee een ander doel bereikt wordt. Welk?

Fascinerend vind ik het idee dat de scheiding tussen de geslachten een bepaald evolutionair doel dient. Er zou misschien zelfs een stadium geweest zijn waarin de mens zowel man als vrouw tegelijk was, net zoals er in een embryo in het begin nog geen differentiatie is. De splitsing maakte de ontwikkeling van het menselijk bewustzijn mogelijk, van vrijheid en liefde.

Het klinkt mythisch, maar net als de oude sprookjes communiceren mythen vaak een of andere innerlijke, psychologische waarheid. Er zijn allerlei mythen over een oertijd waarin man en vrouw één geheel waren. Aristophanes vertelt in Plato's *Symposium* bijvoorbeeld het verhaal van de bolmensen. In het begin waren er drie geslachten, mannen, vrouwen, en manvrouwen die beide geslachten in zich verenigden. Deze waren sterk als goden en gedroegen zich trots en aanmatigend. De goden ergerden zich en overwogen de mens te vernietigen, maar ze vonden het jammer de offers te moeten missen. Zeus kwam op het idee om de mensen doormidden te splitsen – dan zouden ze nog maar half zo sterk zijn en tweemaal zoveel offeren. Na de splitsing hunkerden de twee helften zo hevig naar elkaar dat zij alleen nog maar op zoek gingen naar hun wederhelft. Als ze die gevonden hadden, hongerden ze dood in elkaars armen. Daarop schikte Zeus de geslachtsdelen zoals ze tegenwoordig zijn, zodat de helften af en toe even samen kunnenkomen, hun diepe behoefte aan eenheid in het contact verzadigen, en vervolgens hun gang gaan in de wereld. (Tussen haakjes: Aristophanes maakte er drie oorspronkelijke geslachten van om het fenomeen van de homoseksualiteit te verklaren. De afstammelingen van de manvrouw-helften zijn volgens hem heteroseksueel, en de nakomelingen van de gespleten mannen en vrouwen zijn homo's, respectievelijk lesbiennes.)

Ook het eerste bijbelboek, Genesis, valt zo te lezen dat er in het Paradijs oorspronkelijk een androgyne mens leefde: 'En de Machtige schiep de Aardeling als zijn afschaduwing, als afschaduwing van de Machtige schiep Hij hen, mannelijk en vrouwelijk schiep Hij hen.' (Citaat uit Kees Waaijman: *Spiritualiteit, vormen, grondslagen, methoden*). Adam betekent niet 'man' maar 'die uit aarde bestaat'. Natuurlijk is de interpretatie altijd geweest dat er eerst een man was en dat zijn hulpje, Eva, daarna uit een rib van die godgelijkende man geschapen werd. Maar als je het stof van de millennialange mannelijke overheersing van het verhaal afblaast, staat er misschien wel dat het onzijdige scheppende levensbeginsel de mens onzijdig ontwierp, en pas later met een ingreep opsplitste in twee geslachten. Met de opdracht: word weer één vlees. En de Machtige leunde achterover en keek toe wat ervan kwam.

IK KAN ME VEEL voorstellen bij een evolutie van het menselijk bewustzijn die voortgestuwd zou zijn door de seksuele aantrekkingskracht tussen man en vrouw. Laat ik mijn voorstelling luchtig schetsen.

De prehistorische culturen die duizenden jaren geleden bestonden, waren waarschijnlijk niet matriarchaal, maar in elk geval wel matrifocaal – op de moeder gericht. In deze culturen werd (voorzover we weten) de Grote Godin aanbeden als moeder van alle leven, als bron van vruchtbaarheid, als heerseres over de landbouw en de ritmes van leven en dood. Het moeten stabiele gemeenschappen geweest zijn, met veel aandacht voor het leven in harmonie met de natuur, gebaseerd op de macht van het collectief. De gemeenschap als geheel was de baas en iedereen was daaraan ondergeschikt. De mens was nog een beetje kuddedier. Individueel initiatief werd nauwelijks vertoond en niet getolereerd. Concurrentie of competitie werd niet aangemoedigd. Vernieuwing kwam dan ook niet tot stand, alles bleef millennialang hetzelfde. De schreeuwerige Amerikaanse anti-feministe Camille Paglia had waarschijnlijk gelijk toen ze stelde dat de mens nog in plaggenhutten zou hebben gewoond als vrouwen tot nog toe de macht hadden gehad, in plaats van mannen.

Een archetypisch vrouwelijk collectief is namelijk niet bevorderlijk voor een dynamische ontwikkeling. Vrouwen die samenwerken op de klassiek vrouwelijke manier, dus in een dwingend harmonie-model, genereren het 'krabbenmand'-effect: iedereen moet op hetzelfde niveau blijven, niemand mag in haar eentje omhoog klauteren. Dan trekken de anderen haar weer naar beneden, net zoals krabben in een mand elke opklimmende soortgenoot weer naar de bodem trekken. Er is geen vrijheid voor het individu.

In het sprookje van de kikker en de prinses staat de boze fee die de prins in een kikker had veranderd voor het verhaal begint, voor dat moederlijke collectief dat op den duur disfunctioneel werd. De zieke moeder, de liefdeloze moeder en de toverheks zijn archetypische voorstellingen van de uiteindelijk als negatief ervaren dominantie van het matriarchaat. Hoe kon de mens losbreken uit deze moederschoot van de mensheid, dit Arcadië van gedachteloos eten en drinken en baren, gehoorzaam aan de wetten van Moeder Natuur, vastge-klonken in ritmische rituelen en zonder individuele ver-antwoordelijkheid?

Als we de oude overleveringen interpreteren zoals ik suggereer, heeft het vrouwelijke principe ergens in de geschiedenis van de mensheid het mannelijke principe betoverd. Word jij maar eens vijfduizend jaar lang een kikker, dan kun je mijn gouden bal uit het water red-den, mijn individualiteit naar boven halen. Maar dat neemt natuurlijk niet weg dat die man misschien wel knettergek werd van al dat kleffe wijvengedoe in het troebele water van de emotionaliteit, en kwakkend en kwakend zijn pik achternaging. Dat komt uiteindelijk op hetzelfde neer. Hoe het ook zij – of zij de macht uit handen gaf, of dat hij de macht greep – het stortte de mens in een bloedstollend psychologisch avontuur, met ongewisse afloop.

ER KWAMEN WILDE nomadenstammen uit het noor-den aangegaloppeerd, woeste, vleesetende en bloeddor-stige krijgers, die de kwetsbare beschavingen omver-wierpen en hun mannelijke hemelgod op de plaats zet-ten van de grote Moedergodin. Nu draaide alles om competitie, wie de sterkste was, de knapste, want die kreeg in het spel met de mannelijke spelregels de meeste vrouwen. De vooruitgang kreeg een enorme impuls – uitvinding na uitvinding werd gedaan door onderling concurrerende mannen. *The rest is history*.

De man-aan-de-macht heeft uiteindelijk geresulteerd in de welvaart en de technologische hoogstandjes die wij kennen – en in het individualisme van onze westerse beschaving. In enkele duizenden jaren evolutie en cul-tuurontwikkeling is het idee van het vrije, verantwoordelijke individu geconcipieerd en realiseerbaar geworden voor de mens.

Zoals elke jongen in de puberteit zijn moeder verlaat om achter de meisjes aan te gaan, zo is de mensheid – als er iets van deze hypothese klopt – losgeknokt uit het primitieve moederlijke systeem van het collectief op de kracht van de blinde, *draufgängerische*, in oorsprong seksueel gerichte geldingsdrang van de man, om uiteindelijk te komen tot psychologische en emotionele vrijheid.

Waar het collectief de baas is over het individu, zie je een dergelijk losbrekend maar destructief proces optreden. Op dit moment gebeurt het bijvoorbeeld in de moederkerk, de katholieke kerk, die van binnenuit wordt ondermijnd door de geperverteerde seksuele drang van priesters.

De vrijheid die de blinde mannelijke geldingsdrang in zijn eentje kan bewerkstelligen, is relatief: het is een vrijheid *van* dwang en banden, maar nog geen vrijheid *om* – dat wil zeggen: om te kiezen voor de liefde. De keuze is onvermijdelijk voor lust en egoïsme. Om volledig vrij te worden is er nog een ander element nodig.

STEL DAT DE MAN die zijn pik achternaloopt, in wezen zijn 'ik' achterna loopt. Dat de mannelijke *sexdrive* als het ware het wapen vormde waarmee de mens zichzelf heeft bevrijd uit de primitieve moedercultuur van het collectief, wat het proces van persoonlijke individualisatie opstartte. Dan is het ook niet ondenkbaar dat de vrouw die haar gouden vijg pas gunde aan een man die in staat was zijn seksuele bevrediging uit te stellen, daarmee de meer bewuste minnaars selecteerde, je zou kunnen zeggen de emotioneel intelligentere mannen, en zo de liefde tussen man en vrouw in de evoluerende mens steeds grotere ontwikkelingskansen gaf. Op de achtergrond van de mannelijke overwinningstocht speelde de vrouw een ander spel: laat zien dat je in staat bent tot meer dan hijgerig je kwak dumpen, en ik beloon je met mijn liefde. Helden trokken uit om heldendaden te plegen om de hand van een vrouw, ridders doolden door de wereld op zoek naar de graal, naar zelfoverstijging, naar geestelijk adeldom. In sommige perioden van onze cultuur was deze romantiek belangrijk, in andere verbleekte zij. Op dit moment in onze samenleving dreigt alle romantiek van de tafel geveegd te worden. Het vrouwelijk spel lijkt uitgespeeld. Maar daarmee loopt de psychologische ontwikkeling van de mens vast.

De kikker kan voor de prinses een gouden bal uit het water halen – haar integriteit, haar individualiteit uit haar emoties te voorschijn helpen. Maar zodra hij voor het bed van de prinses staat, moet hij kikker-af worden. Onthoofd of opengeknipt, om zijn hart vrijuit te laten spreken. Hij laat haar zien hoe je een vrij individu moet zijn. En zij laat hem zien wat daar vervolgens bij hoort: de moed van zijn eigen tederheid.

De mop is natuurlijk dat het een helemaal niet zonder het ander kan. Ik-ontwikkeling zonder liefde is geen individualiteit maar egotrippen: hard, meedogenloos, resultaatgericht en uit op eigen glorie. Liefde zonder de integriteit van de individualiteit is geen liefde maar afhankelijkheid: manipuleerbaar, onbetrouwbaar en zwak. Mannelijkheid zonder vrouwelijkheid is te roekeloos, vrouwelijkheid zonder mannelijkheid te behoudend. Maar gelukkig worden mannen en vrouwen al sinds mensenheugenis verliefd op elkaar, waarbij ze de kwaliteit die in henzelf nog sluimert, op de ander projecteren. O, wat is hij knap. Jee, wat is zij lief. Nu moet zij nog knap worden, en hij ook lief.

De Zwitserse psychiater Carl Gustav Jung beschreef al in de eerste helft van de vorige eeuw hoe die twee psychologische componenten in een mens beide tot ontwikkeling gebracht moeten worden om te komen tot wat hij noemde het individuatieproces, de ontwikkeling van een geestelijk volwassen mens, een mens die niet alleen vrij is van door anderen opgelegde dwang, maar ook vrij om te kiezen voor de koninklijke weg van de liefde. Jung noemde de potentieel aanwezige en te ontwikkelen tegenpool van de man zijn *anima*, zijn onderbewuste vrouwelijke kern. En in de vrouw schuilt volgens hem haar *animus*, haar mannelijke kern die naar de oppervlakte gebracht en gerealiseerd dient te worden. Wanneer een man zijn vrouwelijke kern (ik zou dus zeggen: zijn liefde) en een vrouw haar mannelijke kern (haar individuele vrijheid) ten volle tot bloei gebracht heeft, is het *hieros gamos* gesloten, het heilige huwelijk van de ziel. Pas dan is de mens zoals Lawrence zei, een vrij en onafhankelijk werker.

De meeste oude sprookjes, ontsprongen aan het collectieve onderbewuste of misschien wel het bovenbewuste van de mensheid, vertellen je wat je moet doen om het heilige huwelijk te kunnen sluiten. Daarom eindigen die verhalen met een huwelijk tussen een prins en een prinses. Die twee innerlijke polen leven na dat huwelijk lang en gelukkig samen in de menselijke psyche.

BEIDE GESLACHTEN dagen elkaar als het ware al millennialang uit – de man de vrouw om meer mens te worden in vrijheid, de vrouw de man om meer mens te worden in liefde. Of om het simpeler te zeggen: voor vrouwen is het over het algemeen geen kunst om te streven naar harmonieuze relaties, dat hebben ze bij wijze van spreken in aanleg meegekregen, in hun schoot. De echte uitdaging is om daarbij tevens een onafhankelijk mens te worden. Vrouwen die nog geen onafhankelijk individu geworden zijn, blijven in de liefde namelijk steken op het niveau van hechting. Ze noemen het misschien *commitment*, maar ze bedoelen eerder een garantie van trouw en toewijding, een stalen band om de relatie. Liefde is niet hetzelfde als hechting, liefde is juist loslaten.

En voor mannen is, natuurlijk weer generaliserend gesteld, vrijheidsdrang geen kunst – die krijgen ze mee in hun ballen. De echte uitdaging is om daarnaast ook een liefdevol mens te worden, omdat alleen dat tot ware vrijheid leidt. Een vrij man is een man die zijn liefde kiest en die liefde uit vrije keuze trouw blijft, totdat de liefdestaak volbracht is en er geleerd is wat geleerd moest worden. 'Alleen door vrijwillig deze beperkingen op zich te nemen,' zo formuleerde Richard Wilhelm het in zijn vertaling van de *I Tjing*, 'verkrijgt de enkeling betekenis als vrije geest.'

Dat is wat man en vrouw in elkaar spiegelen en stimuleren.

Vrijheid en liefde zijn twee kanten van dezelfde medaille. Vrijheid is er als je zoveel van het leven houdt dat je het vrij kunt laten, jezelf incluis; liefde is er als je alles wat je liefhebt, kunt laten zijn wat het moet zijn. Vrijheid en liefde zijn samen als de bolmensen van Aristophanes.

VROUWEN DIE EEN bepaalde graad van geestelijke volwassenheid hebben bereikt, ontdekken dat het dringend noodzakelijk is om de gouden bal uit het water te vissen, willen ze liefde realiseren die meer is dan simpele hechting: hun integriteit als vrij individu opdiepen uit het water van de vrouwelijke emotionaliteit. Kikkers kunnen dat moeiteloos, die duiken de hele dag in en uit het water. Maar dat is het deel van het psychodrama dat zich buiten in het bos afspeelt, op het mannelijke terrein. Binnen in de vrouwelijke slaapkamer, het gebied van relaties en liefde, horen kikkers niet thuis. De man die rijp is voor het individuatieproces zoekt dus een prinses op die hem tegen de muur smijt, die zijn kop eraf hakt of zijn pantser openknipt om zijn hart open te maken.

Seks, de seksuele begeerte en aantrekkingskracht, is de stuwende kracht achter dit voortdurende wederzijdse appel. Verliefdheid en begeerte zetten een proces in gang waarbij beide geslachten in elkaar de eigenschappen bewonderen en begeren die bij henzelf alleen nog in potentie aanwezig zijn. Het sprookje van de kikker die tegen de muur gekwakt moest worden om de prins te bevrijden, brengt net als talloze andere sprookjes over beesten die in prinsen veranderen, de boodschap dat seks op een hoger plan getild moet worden dan het dierlijke, wil het heilige huwelijk kunnen plaatsvinden. Mannen die blijven hangen in het kikker-stadium, die geen paringskans willen missen en primair gericht zijn op een biologisch doel, kunnen nooit vrije, onafhankelijke geesten worden. En de vrouwen die het allemaal maar accepteren, ook niet.

HOOFDSTUK 10

Prinses in bed

Een hoger plan dus. Beter gezegd: een menselijk plan.

Aan de gevestigde godsdiensten hebben we niet veel – die zijn niet erg intelligent omgegaan met lust. Misschien konden ze het niet helpen. Zolang mensen geen vrije individuen zijn, heb je wel collectieve geboden en verboden nodig om de voortplanting te reguleren. Dat de normen en geboden beter toegesneden waren op de primitieve wensen van de man-als-kikker dan op de-vrouw-als-prinses, valt ook nog wel te begrijpen: het was kikkertijd in de evolutie van de mensheid.

In mystieke stromingen, de bewegingen binnen de grote religies van sterk ontwikkelde individuen die streven naar een directe godservaring, speelt seksualiteit echter een veel koninklijker rol. De lust komt daar expliciet in dienst te staan van iets anders. In de kabbala bijvoorbeeld, de joodse mystiek die in de twaalfde eeuw ontstond, staat de vereniging tussen man en vrouw voor de *Sjechina*, de inwoning Gods of de vereniging tussen God en zijn volk. En meteen zie je dat een dergelijke spirituele visie op seks de gangbare beleving doorkruist en de richting verandert. Kort door de bocht: de vrouw krijgt recht op genot, en de man moet ineens van alles, vooral zichzelf en zijn lust leren sturen en beheersen. Kikkers zijn niet welkom. De gemeenschap is niet meer een dienst die vrouwen aan mannen bewijzen. Het is eerder andersom.

'Daarna is het zijn plicht zijn vrouw te gerieven, daar zij het is die voor hem de heilige vereniging verwerft,' schreef Rabbi Simeon in de Zohar (citaat uit *Spiritualiteit*, van Kees Waaijman). 'Een man mag zijn vrouw niet haastig en niet tegen haar zin tot eenheid brengen, en haar niet met geweld dwingen, want dan rust de Sjechina niet op hen. Een man mag geen ruzie met haar maken, maar dient haar hart met woorden te verwarmen.' De man mag bovendien niet te verhit zijn, schrijft Waaijman, en zijn intentie moet zuiver zijn. De prins met de vriendelijke ogen rijst op voor je geest.

HET IS EEN PARADOXALE opdracht om van seksuele begeerte liefde te maken. Begeerte is de bron van het verlangen naar de ander, maar op zichzelf gericht: je wilt die ander hebben, bezitten, veroveren. Dat is tegengesteld aan liefde, die belangeloos de ander laat zijn wie hij is. Maar zonder lust is seks onmogelijk.

De Duitse priester Wolfgang Gädeke beschrijft dit dilemma in het boek *Huwelijk en relatie – over liefde, seksualiteit en de verschillen tussen man en vrouw*. 'Het lichamelijke proces van overgave, van óverstromen en zich openen is op zichzelf een gebaar van liefde, van warmte, van overgave. Dat is een concrete liefdesgeste. Maar deze wordt voortdurend door het willen-bezitten getorpedeerd, doordat je in feite toch alleen je eigen lichaamsprocessen waarneemt. Het streven zou dus moeten zijn om van de lichamelijke ontmoeting weer een brug naar de andere mens, naar de andere ziel te maken.' De oplossing is, volgens hem, om van de seksualiteit een 'oefening in tederheid' te maken.

Volgens Gädeke is een doel van de liefde tussen man en vrouw dat mensen op kleine schaal leren samenleven met al hun verschillen, maar dan zonder te vechten of te vluchten. Er is geen fundamenteler verschil dan tussen de geslachten en wie een duurzame heteroseksuele verbintenis aangaat, oefent zich 'in het allerkleinste verband in iets wat de mensheid in het groot nodig heeft om te overleven'. Want alle conflicten op wereldniveau ontstaan door verschillen tussen mensen. Tot nog toe in de geschiedenis hebben we die meestal opgelost doordat een van beide partijen won en de andere partij vertrok. Die strategie kunnen we niet meer toepassen – onze planeet is daarvoor te krap geworden.

EEN OEFENING IN tederheid. En wat doen we dan met lust?

De lust-onderdrukkende religies en de lust-vererende huidige cultuur hebben het beide bij het verkeerde eind. Lust is niet geschikt als doel, maar wel als middel.

Socrates heeft dat uitgelegd in zijn betoog over de Eroos, de erotische liefde of lust, in Plato's *Symposium*. De verlichte Griekse filosoof had zijn kennis van een geheimzinnige wijze vrouw, Diotima uit Mantineia.

Eroos begeert het goede en het schone, en alleen al daaruit volgt dat hij zelf niet goed of schoon is, legt Socrates uit. Want wat je zelf bent, hoef je niet te begeren – je zoekt alleen naar dat wat je mist. Eroos is bepaald geen god, maar wel een intermediair tussen mensen en goden, die de gebeden van de mensen aan de goden overbrengt, en de bevelen van de goden aan de mensen. Eroos is geboren uit het huwelijk van Overdaad en Tekort en heeft van beide trekken meegekregen. Het mysterie dat Socrates tijdens het beroemde maal onthult, is dat deze Eroos, de lust, begint met de begeerte naar één fraai lichaam en zich vervolgens ontwikkelt. Eerst ontdekt hij de overeenkomsten tussen alle fraaie lichamen. Dan begint hij schoonheid van geest te begeren. Vervolgens strekt de begeerte zich uit tot de schoonheid van de wet en de wetenschap – en tenslotte rijst in hem het visioen van de universele schoonheid zelf, de sublieme god van de liefde, die hij niet meer met lichamelijke ogen maar met geestelijke ogen aanschouwt. Dan zal hij scheppingen voortbrengen van deugd en wijsheid, de vriend zijn van God en erfgenaam van de onsterfelijkheid.

OM DIERLIJKE LUST te transformeren tot het hoogst haalbare volgens Socrates, de liefde voor het goede, het schone en het ware, wordt er nogal wat van een man gevraagd. Hij moet iets opgeven dat voor hem enorm belangrijk is. In de tantra, een mystieke stroming die vanaf de vijfde eeuw voor Christus in zowel hindoeïsme als boeddhisme als jaïnisme voorkomt, is de beheersing van de mannelijke zaadlozing van essentieel belang. Dat klinkt niet zo gek met het getetter over zaadverspreiding van de evolutiebiologen nog in je oren. Als de man als dier vooral wil ejaculeren, dan zal de man als mens juist op dit punt willen breken met de dierlijke vanzelfsprekendheden. Ik pleit niet voor mystiek in bed; ik noem dit onderwerp hier om aan te tonen dat er door de eeuwen heen pogingen zijn geweest van ontwikkelde individuen om de seksualiteit menselijk te maken in plaats van alleen maar volgens de voorschriften van de gevestigde godsdiensten enigszins te reguleren. Als zodanig vind ik tantra interessant. Maar het is mij te prestatiegericht.

'Wij weten dat het tegenhouden van het sperma het de man mogelijk maakt de daad gedurende onbepaalde

tijd vol te houden en hem te intensiveren tot het toppunt, om zo het ware orgasme te bereiken en toegang te
krijgen tot niveaus van superieur bewustzijn,' schrijft
André van Lysebeth in zijn boek *Tantra*. De oorspronkelijke titel van dit boek is *Tantra, le culte de la Fé-
minité*: de eredienst van de vrouwelijkheid. Van Lysebeth beschouwt zichzelf als hedendaagse westerse be-
oefenaar van tantra en geeft een serie oefeningen voor
beide partners, waarbij de man vooral moet leren om de
sluitspieren van de penis te beheersen. Dat begint heel
simpel door bij het urineren af en toe de straal te onder-
breken. Daardoor leert de man naar wens alle spieren in
het genitale gebied te spannen en ontspannen. Dat
komt van pas bij het vrijen als een zaadlozing dreigt
door te grote opwinding. Ontspan de spieren, stelt de
auteur, en de penis verslapt iets, genoeg om het gevaar
af te wentelen zodat de spirituele vereniging door kan
gaan. Dolenthousiast bezingt Van Lysebeth de effecten
die zulk liefdesspel heeft op beide partners: 'De seksuele vereniging is een feest waaraan alle vezels, alle cellen
van het lichaam deelnemen, het feest van de terugge-
vonden eenheid, de terugkeer tot het oorspronkelijke
androgyne wezen, de herhaling in het nu van de kosmi-
sche scheppende daad, de duik in het ananda, in de ge-
lukzaligheid.'

VAN LYSEBETH IS zich bewust hoe vreemd en tegenna-
tuurlijk het voor de doorsnee man in onze tijd moet
klinken dat er van hem gevraagd wordt zijn ejaculatie
te leren beheersen. Maar zo vreemd is dat niet, schrijft
hij; het werd althans wel door meer westerlingen gepropageerd. In de Oneida-gemeenschap in Amerika bijvoorbeeld, gesticht door John Humphrey Noyes in de

eerste helft van de negentiende eeuw, beoefende men *carezza*, een methode die voor de eerste wereldoorlog veel aanhangers had. Het ging primair om het romantische contact tussen de geliefden en je moest helemaal niet streven naar orgasmes. Als de vrouw desondanks een orgasme had, was dat acceptabel, maar de man moest alles in het werk stellen om de ejaculatie geheel te vermijden.

Een van de vurigste supporters van carezza, J. William Lloyd, schreef: 'Wanneer carezza met succes wordt toegepast, zijn de geslachtsorganen even rustig en gedemagnetiseerd als na een zaaduitstorting. Terwijl uit het lichaam van de geliefden een wonderbaarlijke kracht en bewuste vreugde opstijgt, rusten zij uit in zachte voldoening, als na een gelukkig spel. Heel hun wezen straalt van verliefde en romantische vreugde; het wordt overweldigd door een gevoel van gezondheid, zuiverheid en levenskracht. Wij zijn overstelpt met geluk en dankbaarheid, als na een gewijd feestmaal. Hoe staat het echter na een zaaduitstorting? De algemene constatering is dat, nadat de eerste ogenblikken van aangename ontspanning voorbij zijn, vergezeld van een gevoel van bevrijding, spoedig het gevoel volgt een verlies te hebben geleden en verzwakt te zijn: het prachtige droomgezicht is opgelost en de man is ontnuchterd. Natuurlijk, hij heeft een ogenblik van hartstocht beleefd, maar dan zeer kortstondig, net als een epileptische aanval die geen enkele herinnering en geen spoor achterlaat. De lichten worden gedoofd, de muziek verstomt, het feest houdt op nog voordat het goed en wel is begonnen. Soms is de erop volgende zwakte zodanig dat ze bleekheid, duizeligheid, spijsverteringsmoeilijkheden, irritatie, teleurstelling, schaamte, ja zelfs wrok veroorzaakt. Dat is al waar voor de man, maar ook voor de vrouw, teleurgesteld door het abrupte einde van een buitengewone ervaring. In het merendeel van de gevallen valt de man, vermoeid en onverschillig, in slaap. De verliefde hartstocht is verdwenen.'

Ho ho. Ik ben vaak genoeg tevreden in slaap gevallen met volgespoten vagijn, nog half in tedere omstrengeling met een beminde man en verliefder dan ooit. Maar misschien dat mannen het beter herkennen? *Omne animal post coitum triste*, zeiden de Romeinen in navolging van Aristoteles – na de coïtus is elk dier bedroefd, en ze voegden er spottend aan toe: *praeter gallum qui cantat* – behalve de haan die kraait. Met andere woorden, alleen door hanig op te scheppen over je prestaties kun je je seksuele kater overschreeuwen.

Lloyd vervolgt zijn wervende beschrijving: 'Bij carezza gaat het heel anders toe. De geliefden gaan geleidelijk uit elkaar, met een lichte spijt, blijven lang bezig, wisselen kussen uit, blijven omstrengeld, en strelen elkaar. Stralend van liefde en bewondering laten zij in elkaar de echo van dit geluk weerklinken die nooit uitgewist zal worden.'

Tantrist Van Lysebeth betoogt dat carezza een heel eind op de goede weg is, maar een vergissing maakt: ze stelt het mannelijk orgasme op één lijn met de zaadlozing. Volgens hem zijn dat twee geheel verschillende dingen en weten vijfennegentig procent van de mannen niet wat een echt orgasme is, omdat zij de zaadlozing aanzien voor een orgasme. Voor de geoefende tantrist valt er nog veel meer te beleven.

MANNEN OVERDRIJVEN altijd zo. Volgens mij is er niets mis met de mannelijke ejaculatie – die wordt alleen een probleem als mannen en vrouwen erop gefixeerd raken.

De Australische mysticus Barry Long noemt de doorsnee man 'orgasme-gek'. 'En de vrouw, de godin van de liefde zelf, aangestoken en besmet door die mannelijke gekte, aanbidt de valse god van de man,' schrijft hij in *Liefhebben, de weg van seks naar liefde*. Bij hem is het doel van vrijen dat de geliefden elkaar bevrijden van spanningen, om innerlijke vrede te krijgen.

Long benadert het onderwerp vanuit de probleemkant. Volgens hem is al het onbehagen van de vrouw het gevolg van liefdeloze seks: 'Alle emotie in vrouwen is de eis of de roep om werkelijk bemind te worden – en niet gebruikt als seksuele kwispedoor.'

Het belangrijkste probleem is ook volgens hem toch wel de enorme nadruk op seksuele opwinding en ontlading in onze cultuur. Mannen houden zichzelf permanent op een hoog niveau van opwinding door voortdurend aan seks te denken, er grappen over te maken en pornografie te bekijken. Tegen de tijd dat zij daadwerkelijk toegang krijgen tot een vagina, houden ze het niet lang meer uit en ontladen zich, lang voordat de vrouw zich in totale liefde aan hen heeft overgegeven. 'De man die voortijdig klaarkomt, heeft tijdelijk de wil om lief te hebben verloren, heeft zichzelf verloren, kan daardoor niet langer de volledige overgave van de vrouw aannemen en heeft geen echte autoriteit. Hij weet het en schaamt zich ervoor.' Volgens Long is de schandalige economische overheersing van de man over de vrouw een gevolg van deze schaamte; mannen overschreeuwen hun falen. Voor de meeste vrouwen is het ontroerend om te lezen wat de Australische spirituele leraar zijn seksegenoten opdraagt.

'Mannen moeten leren om te vrijen zonder seksueel egoïstisch te zijn,' stelt Long. 'Als ze leren om een vrouw lief te hebben en van haar te genieten zonder een orgasme nodig te hebben om seksueel aan hun gerief te komen, dan beginnen ze haar werkelijk lief te hebben. Een man moet een vrouw in verrukking brengen – en door haar in verrukking gebracht worden. Daar gaat het om; niet om haar en zichzelf op te winden.'

De gemeenschap wordt een dienst van de man aan de vrouw en omgekeerd – een eredienst. Door liefdevol de liefde te bedrijven wordt een mens innerlijk bevrijd van frustratie en spanningen en raakt de energie van boven- en onderlichaam harmonieus geïntegreerd, zegt Long. *Fucking with a warm heart* zou Lawrence het misschien samenvattend noemen. Long brengt er bovendien nog een Zen-achtige kwaliteit in: het vrijen moet volgens hem gebeuren zonder bijgedachten, volledig in het hier en nu. Dan heeft het liefdesspel een positief uitstralend effect op de rest van het leven: 'Vrijen gaat niet alleen over lichamelijke liefde; vrijen gaat over het oplossen van problemen in je liefde en in je leven.'

Daar kan ik me van alles bij voorstellen. O ja schat, hier ben ik, neem me, ik ben de ideale partner voor je, ik geef je alles wat je wilt, ik maak je helemaal gelukkig. Totale ontmoetingen in naaktheid van geest, gevoel en lichaam. Langzaam maar zeker, in de loop van de tijd, absorbeer je de sublieme kwaliteit van je spiegelbeeld. Vrouwen blijven de liefde trouw terwijl ze zich los knokken uit de afhankelijkheid. Mannen blijven man en openen hun hart.

HOOFDSTUK 11

Ze wordt boos

De eerste feministische golf, een eeuw geleden, ontstond omdat vrouwen bezorgd waren dat de wereld te eenzijdig mannelijk gericht zou worden als zij hun stem niet verhieven. Gegoede dames brachten pannetjes soep rond in de sloppenwijken van de geïndustrialiseerde grote steden en stelden vast dat het opkomende kapitalisme zonder enige vrouwelijke inbreng enorme ellende tot gevolg had. Je kon het bestuur van het land kennelijk niet aan mannen overlaten; die waren te veel bezig met hun ego-ontwikkeling en te weinig met barmhartigheid en liefde.

Stemrecht en toenemende arbeidsparticipatie van vrouwen hebben inmiddels niet het beoogde effect gehad, moeten we vaststellen.

Het vrouwelijke element, de liefde, lijkt door de individualisatie verdreven. Het door al die succesvolle ego-trips teweeg gebrachte leed – grauwe armoede door gruwelijk onrechtvaardige exploitatie van de zwakkeren door de sterkeren – is voor het grootste deel verschoven naar de andere kant van de wereld en daarmee evenzeer buiten beeld voor ons als de hongerende bevolking van de achterbuurten in de negentiende eeuw was voor de welvarende burgerij van toen. We weten er van, maar het is gemakkelijk die kennis te verdringen.

Liefdeloze, eenzijdige, primitieve mannelijkheid overheerst. Het is duidelijk zichtbaar in de roofzuchtigheid van het bedrijfsleven. De gezonde competitie en concurrentie die vernieuwing en vooruitgang bracht, is allang niet meer gezond. Corrupte onderlinge bondjes welen tierig en ondermijnen de samenleving. De top-industriëlen die zichzelf exorbitant verrijken, zijn wanstaltige padden. Het schijnt dat relatiebureaus die dit soort rijke zakentycoons bedienen, potentiële vrouwelijke kandidaten screenen op volgzaamheid. Dat wil dus zeggen op bereidheid de status quo in relaties te laten zoals hij is. Deze heren willen voor geen goud geconfronteerd worden met een koninklijke vrouw, die hen als kikker zou ontmaskeren en uitdagen tot liefde.

DE MASCULINISERING van onze cultuur schrijnt het meest op de gebieden die vroeger hoorden bij het rijk der vrouw – relaties, zorg, liefde.

De vermannelijking van seks straalt uit op alles wat met liefde en relaties te maken heeft. Nu de vrouw geen eigen rijk meer heeft, gehoorzaamt ook de binnenwereld van relaties en zorg aan de mannelijke eisen. Seks wordt een wedstrijd, een prestatieloop, iets wat je in je eentje doet en waarbij het gaat om zoveel mogelijk genot voor jezelf te pakken te krijgen. Liefdesrelaties beoordelen we naar hun emotionele opbrengst; de boekhouding moet kloppen. Veel relaties verworden tot een strijd om de macht, competitie tussen concurrenten: wie het meest verdient, wie het voor het zeggen heeft thuis, wie het aantrekkelijkst is op de relatiemarkt en dus de meeste macht heeft over de ander. Schoonheid raakt verweven met felle concurrentie tussen vrouwen onderling. Kinderverzorging hoort volgens de nieuwe normen maximaal uitbesteed te worden aan professionals, zodat de ouders op de arbeidsmarkt kunnen presteren en resultaten behalen, lees: geld verdienen. Thuis wordt de opvoeding maar al te vaak een strijd tussen de ouders: wie de beste ouder is, van wie de kinderen het meest houden, wie de beste resultaten boekt. In de zorgsector is de verzakelijking tot het absurde doorgedreven. Een thuishulp mag nog maar een voorgeschreven en beperkt aantal minuten besteden aan de diverse taken, zoals het helpen aantrekken van een steunkous. Zelfs het huishouden wordt vermannelijkt – uitbesteed en zo efficiënt mogelijk geregeld met machines en professionele hulp. Vrouwen voelen het, en hun onvrede groeit.

De werkelijke bron van deze onvrede, het echte onbehagen van de vrouw, is de masculinisering van de seks. Onze cynische cultuur is bevangen door lust. Het is een ware kikkerplaag. Kikkers vallen bij bakken uit de hemel, ploffen op onze hoofden, smakken tegen de ramen. We waden door de glibberige kikkerdril. In prinsessen geloven we niet meer zo erg. Laat staan in tederheid. Tederheid is taboe, of verbannen naar een paar uurtjes 'quality time' buiten het bed.

Het navrante is dat juist feministen de vurigste pleitbezorgsters zijn voor de verdrijving van dat vrouwelijke element.

OVERDREVEN DOORGEVOERDE masculiniteit, zonder vrouwelijkheid als tegenspeler, levert een instabiele toestand op. De pessimistische visie is dat het mannelijke element, aangeblazen door de hijgerige geilheid van de massa, tot het uiterste zal opzwellen en vervolgens aan zichzelf ten onder gaan. Aangezien onze wereld vol springstof zit, gaat dat waarschijnlijk in tegenstelling tot wat T.S. Eliot schreef *not with a whisper, but with a bang*. Niet met een fluistering, maar met een harde knal. Of een serie harde knallen. Overal ter wereld staan de kernkoppen klaar voor de ultieme ejaculatie.

De optimistische visie is dat vrouwen langzaam maar zeker boos genoeg worden om de kikker tegen de muur te smijten.

Boos worden doen ze al. Veel vrouwen slaan zich grommend en grauwend een weg door het dagelijks bestaan. Het was mij al eerder opgevallen; ik heb er eens een verhaal over geschreven in *de Volkskrant*. 'Nieuwe haaibaaien' had de redactie het stuk getiteld. Waarom zijn alle vrouwen die je tegenkomt zo belachelijk assertief, vroeg ik mezelf af. Goed opgevoede en opgeleide mannen zijn doorgaans vriendelijk en tolerant in het sociale verkeer. Maar vrouwen bijten tegenwoordig bij de minste geringste aanleiding fel van zich af, op straat, in de tram, in winkels, op het werk. Een psychotherapeut die ik sprak voor dit artikel, Jeffrey Wijnberg, herkende het fenomeen direct en meldde dat hij ook in zijn praktijk als relatietherapeut veel bitse vrouwen tegenkwam. Hij merkte op dat mannen sukkelig worden: 'Hun vrouwen zijn zo assertief geworden dat ze het te vermoeiend vinden daar nog tegenin te gaan. Daar heb ik er bosjes van in mijn praktijk. De moderne vrouw durven ze niet goed tegemoet te treden, ze lopen als makke schapen voor de uitdaging weg. Dan krijg ik die vrouw hier weer, die klaagt dat de mannen van haar weglopen. In de overijver van de assertiviteitscultuur hebben ze het meest speciale van vrouwen weggegooid, namelijk het vermogen te verzachten. Niet nederig, maar op een uniek beminnelijke manier kunnen vrouwen de sfeer verzachten en dat doen ze dus niet meer.'

Wijnberg wijt dit aan de angst van vrouwen de verworvenheden van de emancipatie te verliezen. Ik denk dat vrouwen zich in de kern van hun vrouwelijkheid aangetast voelen en daarop reageren, vooralsnog met ongerichte of verkeerd gerichte woede.

DE BOZE VROUW is geen typisch Nederlands verschijnsel. In Amerika werd een bundel autobiografische verhalen van schrijfsters met de titel *The Bitch in the House* – het kreng thuis, een onmiddellijke bestseller. Op het omslag een rood gestifte vrouwenmond waarvan een hoek is opgetrokken in een woedende snauw. Op het werk zijn ze kalm en vriendelijk, vertellen de vrouwen in het boek. Thuis grommen, grauwen en schreeuwen ze tegen hun kinderen en hun man, smijten ze met potten en pannen en stampvoeten ze door de kamers. Redactrice Cathi Hanauer schrijft in haar introductie dat ze boos was op de kat die haar wakker maakte, op de auto omdat ze moest tanken terwijl ze toch al te laat was voor een afspraak, op het speelgoed waarover ze bijna struikelde, en op haar man. Haar e-mail vriendinnen herkenden haar woede, zij hadden die ook. 'Ik ben het kreng van het huis,' zei een van hen met een woordspeling op het Victoriaanse begrip van 'de engel van het huis' – de vrouw die stilletjes en zacht glimlachend door het huis zweefde, voedend, steunend, dienend en voortdurend beschikbaar voor alle huisgenoten die iets van haar wilden, zonder ooit zichzelf op de voorgrond te plaatsen.

Hanauer doet haar best om te analyseren waarom vrouwen boos zijn tegenwoordig. Ze hebben te veel te doen in te weinig tijd, krijgen te weinig steun van de omgeving. Verder zijn er nog de technologie die ons opjaagt, de dilemma's van het werkend moederschap, de druk waaronder vrouwen staan om er altijd mooi en jong uit te zien, en gebrek aan rolmodellen, omdat de vrouwen van de generatie van onze moeders nog in het ouderwetse patroon pasten en daar tevreden mee leken. En we lijden onder het geloof dat we alles moeten kunnen doen, hebben en zijn, en als we dan nog niet gelukkig zijn, dat het onze eigen schuld is.

De voor de hand liggende oplossing voor deze vrouwen zou zijn om de stressfactoren gericht aan te pakken. Het tempo van het werkend leven vertragen. Technologie gebruiken in plaats van je erdoor te laten opjagen. Uit de schoonheidswedstrijd stappen. Perfectionisme afzweren. Hulp en steun regelen uit de omgeving, bijvoorbeeld door de helft van het huiselijke werk over te dragen op de vaders. Maar de meeste mannen doen geen stapje terug uit hun mannenwereld – ze kunnen het zich niet permitteren, want de competitie daar gaat keihard door. En als ze het toch doen, blijkt dat ze niet veel begrijpen van de liefde.

De verhalen in *The Bitch* zijn prachtig geschreven stukjes zelfanalyse van moderne vrouwen. Ze zijn allemaal nog opgevoed in gezinnen waar de verdeling volgens de klassieke lijnen geregeld was: de man ontwikkelde zijn individualiteit in zijn werk, en de vrouw zwaaide de scepter thuis. De vrouwen van nu willen het allebei. 'Een deel van wat ik was – wat mij bepaalde en wat een essentiële bron was van geluk en vitaliteit voor mij – was mijn carrière als auteur en docent. Dat wilde ik niet opgeven, maar ik wilde ook geen ingehuurde beroepskrachten die mijn huishouden zouden regelen en mijn kinderen opvoeden.'

Een jonge vrouw beschrijft hoe het gaat als ze laat thuiskomt na een dag hard werken en haar vriend achter de computer aantreft in plaats van in de keuken bezig het avondeten voor hen beiden te maken. Zwijgend begint ze dan zelf maar groenten te snijden en water op te zetten 'en met elke haal van het mes, met elke pan die ik uit de kast haal, word ik bozer en bozer, tot ik zijn aanwezigheid niet meer kan verdragen. Hij komt binnen en zegt iets onschuldigs als "Kan ik helpen?" of zelfs "Waarom ga je niet lekker zitten en laat mij het eten maken?" maar ik ontplof en snauw hem toe: "Ik heb honger en ik ben doodop en ik heb geen zin om hier te zitten wachten tot jij klaar bent met je stomme internet en we tegen negenen kunnen eten!"' Later vraagt ze zich af: waarom liet ik hem niet begaan en ging ik niet lekker met een glas wijn op de bank zitten? Het antwoord is dat ze liever boos wordt, dat ze woede de voorkeur geeft boven de alternatieven: schuldgevoel, verdriet, uitputtend telkens weer alles proberen te begrijpen en te veranderen.

Een jonge moeder beschrijft de wedstrijd tussen haar en haar mee-ouderende man: wie is de beste ouder? Van wie houdt het kind het meest? 'Waarom zie ik Tim steeds maar als tegenstander?' vraagt ze zich af. Ze geeft zichzelf de schuld, maar bedenkt dan dat haar man streeft naar perfectie in het ouderschap en dat zij daarover boos wordt, want perfectie op dit terrein bestaat niet. 'Ik raak uit mijn humeur als hij perfectie verwacht, want het roept spanning op. Boosheid is een reflex voor mij – te veel, dat weet ik, maar het is nou eenmaal zo.'

Een vrouw van in de zestig kijkt terug op haar leven en beseft dat het 'een worsteling was om mens te worden – een onafhankelijk menselijk wezen'. Lange tijd had ze geloofd dat zij – feministisch als ze was – met het grootste gemak de liefde kon opgeven, want die belemmerde haar in haar vrijheidsdrang. Nu beseft ze dat liefde te veel voor haar betekent: 'Ja, ik kon niet langer met mannen samenwonen op de oude condities. Ja, ik wilde alleen nog volwassen genegenheid. Ja, als dat betekende dat ik het maar zonder moest doen, dan was ik bereid om het zonder te doen. Maar het idee van de liefde, zoniet de realiteit, kon ik onmogelijk opgeven.'

HET OUDERWETSE IDEAAL van het huwelijk als alleenzaligmakend voor de vrouw wordt in dit boek genadeloos tegen het licht gehouden, gewogen en te licht bevonden. Nee, je creëert geen liefde door je vrijheid op te geven, dat is duidelijk. De vrouwen in *The Bitch* vechten tegen hun conditionering, die hen voortdurend influistert: behaag de man, wees een goed meisje, en je bent veilig. Daarbij moeten ze door allerlei barrières heen breken, innerlijk en uiterlijk: hun eigen fantasieën, de dagdromen en illusies over het ouderwetse huwelijk waarmee ze zijn grootgebracht en die ze moeten opgeven, het gebrek aan steun waarmee ze moeten leren leven, de stress, de onmogelijke opgave om in twee werelden tegelijk te leven.

Maar vrijheid zonder liefde blijkt ook geen optie. Juist door hun pogingen om de vrouwelijke terreinen van zorg, gezinsrelaties, liefde en harmonie te behoeden en te beschermen terwijl ze ondertussen zichzelf ontwikkelen tot individu, verzamelen deze vrouwen een hoeveelheid woedende energie. Woede spoelt hulpeloosheid en depressie weg, woede rukt maskers af, woede maakt helder en sterk. Woede is in deze strijd een bondgenoot. Boos zijn is beter dan gedeprimeerd: woede geeft energie. Hoeveel van de miljoenen vrouwen die hun arts om Seroxat of Prozac vragen, proberen eigenlijk hun woede in te slikken, letterlijk en figuurlijk? Een oudere vrouw schrijft over haar verleden in *The Bitch*: 'Als ik huilde, zag ik die tranen als een soort vergissing. Later begreep ik dat tranen ongeuite woede zijn.'

Nu moet die woede nog gericht worden op het punt waar het werkelijk om draait.

Seks is opvallend afwezig in de verhalen van de Amerikaanse bundel. Een vrouw vertelt dat ze genoegen neemt met matige seks in haar verhouding, omdat de man in alle andere opzichten zoveel liever en menselijker is dan haar opwindende minnaars van vroeger. Verschillende vrouwen halen het gezegde aan *Why buy the cow if you can get the milk for free?* – waarom zou je de koe kopen, als je de melk gratis kunt krijgen? Het was een cliché uit hun jeugd waarmee meisjes gewaarschuwd werden: als je mannen seks voor niets geeft, trouwen ze niet meer met je. De gemeenschap was toen nog in alle openheid een dienst die de vrouw aan de man leverde, in ruil voor onderdak in een financieel verzorgde huwelijke staat. *De Bitch*-vrouwen weigeren om hun seksualiteit te verkopen voor veiligheid. Maar daarmee is het probleem de wereld niet uit. De gemeenschap volgens mannelijke condities is nog altijd een dienst van de vrouw aan de man, zoals ik in dit boek heb betoogd.

HET IS ONTZETTEND moeilijk om een man van wie je houdt te vertellen dat hij je in bed niet behandelt zoals je eigenlijk behandeld zou willen worden. De meeste mannen zijn kwetsbaar in hun mannelijke identiteit en vatten elke vorm van kritiek op als een aanval op hun viriliteit. En het laatste wat je wilt als minnares, is dat hij hem niet meer omhoog kan krijgen omdat hij zich door jou ontmand voelt. Wie geeft je de garantie dat er ineens een prins voor je bed staat als je begint te smijten? Misschien blijf je wel zitten met een bloederig hoopje kikker aan je voeten.

En trouwens, zal hij vragen, waar heb je het over? Wat bedoel je precies? Wat wil je dan? De vermannelijking van het liefdesleven is zo wijdverbreid, wetenschappelijk onderbouwd en machtig, dat het voor een individuele vrouw een enorme opgave is om de gevestigde opvattingen en algemeen aanvaarde cliché-ideeën tegen te spreken. Met andere woorden, om seks zonder liefde te weigeren en de liefde weer op de troon te zetten, waar zij hoort. Wat werkelijk bevrijde vrouwelijke seksualiteit is, weten we op dit moment in de geschiedenis nog niet goed.

Daarom moet de liefde op de maatschappelijke agenda komen te staan. Het moet een item worden in de media, in de bladen, kranten, op televisie. Er moeten debatten komen op televisie en in zalen, stukken in kranten en bladen, hoofdstukken in schoolboeken, conferenties, symposia.

Want alleen een radicale afwijzing van het seksuele toneelstuk van de man zal in staat zijn om onze cultuur te transformeren. Alleen mannen en vrouwen die naast hun individualiteit ook de liefde in zichzelf ontwikkelen, kunnen de maatschappij veranderen. Wie haar partner aanbidt met smeltende schoot, gaat niet in competitie met hem. Wie zijn vrouw liefheeft in totale naaktheid van lichaam en geest, laat haar niet alleen tobben met de kinderen en het huishouden. Dan vrij je bij wijze van spreken samen alle problemen tot een oplossing.

Dit hoofdstuk in de evolutie van de mens moet nog geschreven worden. Moet nog geleefd worden. We betreden onbekend terrein.

HOOFDSTUK 12

Krijgen ze elkaar?

Met mijn twintigjarige dochter besprak ik de film *Hable con ella*, die we allebei schitterend vonden. 'Het knappe van die film is dat hij over de liefde gaat maar niet klef is,' zei mijn dochter. 'Ik denk omdat Almodóvar de tragiek niet schuwt. En het verhaal heeft een open eind, dat is ook belangrijk.' 'O nee,' protesteerde ik. 'Het is geen open eind. Ze krijgen elkaar juist, dat zag je toch, Marco en Alicia ontmoetten elkaar en je kon als kijker makkelijk invullen dat het een relatie zou worden.' 'Vrouwen willen altijd het eind dichtgooien,' zei mijn dochter. 'Alles komt goed. Of omgekeerd: het eindigt in totale ondergang en ellende. Maar in de liefde is het eind open. Daarom zijn liefdesverhalen van mannen vaak beter. Ik vind een open einde ook moeilijk te accepteren, bijna onverdraaglijk. Maar het is wel de waarheid.'

Als ik me driftig maak, kan ik vast wel een aantal liefdesverhalen van vrouwen vinden met een open eind, dacht ik. Maar ik zag toch direct wat mijn dochter bedoelde. Een open einde maakt liefdesverhalen overtuigender en realistischer. Je ziet het voor je. De *poor lonesome cowboy, far away from home*, rijdt in de stralen van de ondergaande zon het volgende avontuur tegemoet. Als een man zich in die vrijheid van geest gaat bezighouden met de liefde, staat het allerminst vast hoe het verhaal afloopt. Net als bij een vrouw die de liefde trouw blijft en zichzelf bevrijdt.

De weg is het doel geworden. Misschien krijgen ze el-kaar en leven ze nog lang en gelukkig. Misschien krij-gen ze alleen zichzelf, als mens – zijn ze een beetje meer mens geworden.

En misschien gaat het daar wel om.

Kikkersprookjes

In 'De kikkerprins', een sprookje uit de oorspronkelijke verzameling verhalen van de Gebroeders Grimm, willen drie prinsessen water drinken uit een heldere bron bij het paleis. Tot hun schrik ontdekken ze dat het water troebel is. Een kikker belooft dat hij een beker helder water te voorschijn zal toveren voor het meisje dat zijn liefje wil worden. De oudste twee dochters halen hun neus op voor het beest en geloven hem niet, maar de jongste zegt ja en krijgt van de kikker een beker schoon water. 's Avonds komt de kikker haar herinneren aan haar belofte door een lied te zingen buiten de poort. O ja, denkt de prinses, dat is waar ook, ik heb het beloofd. Ze zet de deur op een zuinig kiertje en gaat zelf naar bed. De kikker hopt achter haar aan de trap op en gaat aan haar voeteneinde liggen. 's Ochtends verdwijnt hij weer vanzelf. Ook de volgende nacht krabt hij zachtjes aan de poort en laat ze hem toe aan het voeteneind van haar bed, maar de derde nacht zegt ze: 'Dit is de laatste keer dat ik je binnenlaat, ik heb er geen zin meer in.' De volgende ochtend staat er een mooie prins naast haar bed. De betovering is verbroken. Dit verwante sprookje werd in latere bundels van Grimm-verhalen niet meer opgenomen.

In sommige versies van Grimms 'Kikkerkoning' hangt er een spiegel op de plek waar het dier tegen de muur smakt. De betekenis daarvan is dan dat de kikvors in een flits zichzelf ziet zoals hij is, en door dat inzicht verandert in een mens.

In een Keltisch verhaal dat minstens teruggaat tot midden zestiende eeuw, vraagt een zieke moeder haar dochters om een beker water uit een bron. De bron wordt bewaakt door een kikker die de meisjes in ruil vraagt met hem te trouwen. De oudste twee weigeren resoluut en de jongste geeft toe, krijgt het water en geneest haar moeder. 's Avonds komt de kikker met een bedelend liedje zijn prijs ophalen en ze zet hem eerst achter de deur, maar dat pikt hij niet, hij blijft zeur-zingen over haar belofte. Daarom zet ze hem onder een houten emmer en tenslotte mag hij in een bedje naast het vuur. Dan zegt de kikker: 'Achter jouw bed is een roestig zwaard. Neem het en hak mijn kop eraf, dan hoef ik niet langer te lijden.' Dat doet de prinses en zodra het ijzer zijn hals doorklieft, verandert het beest in een prins.

In een oud Schots verhaal moet een meisje van haar boze moeder water halen in een zeef. Een kikker belooft haar te helpen: 'Als je me twee nachten bij je laat slapen en daarna mijn kop eraf hakt.' Hij helpt door de zeef dicht te stoppen met mos en klei. Na de eerste nacht in het bed van het meisje is de kikker heel stil en hij brengt dankbaar de dag door bij moeder en dochter. Op de ochtend van de tweede dag zingt hij: 'Chop off my head, my hinny, my heart, chop off my head my own darling.' En ja hoor, het werkt – onthoofding maakt een prins van het dier.

In een oud Koreaans sprookje slaagt een kikker er in om met een meisje te trouwen. In de huwelijksnacht vraagt de Koreaanse kikvors zijn bruid een grote schaar te nemen en de huid van zijn rug open te knippen. Uit de huid komt een stralend mooie jongeman tevoorschijn.

Geraadpleegde literatuur, o. a.

Sprookjes van Grimm, W. de Haan, Utrecht, omstreeks 1915.

Susan Maushart, *Liefdewerk, wat het huwelijk echt voor vrouwen betekent*, Het Spectrum, Utrecht, 2002.

Naomi Wolf, *Verwarrende tijden, de ontluikende seksualiteit van meisjes in het tijdperk van de pil*, Forum, Amsterdam, 1997.

Rufus Camphausen, *The Yoni – Sacred Symbol of Female Creative Power*, Inner Traditions, Rochester, Vermont, 1996.

D.H.Lawrence, *Lady Chatterley's Lover*, Penguin Books, London, 1960.

D.H.Lawrence, *Selected Letters*, Penguin Books, London, 1950.

Carla van Lichtenburcht en Lisette Thooft, *Het geminachte lichaam, interviews met incestslachtoffers*, Ambo, Baarn, 2000.

Ellen Fein en Sherrie Schneider, *De Regels – De beproefde manier om de man van je dromen te krijgen*, Luitingh-Sijthoff, 1997.

Nate Penn en Lawrence LaRose, *The Code – Timetested Secrets for Getting What You Want from Women – Without Marrying Them!*, Simon & Schuster Inc., New York, 1996.

Sarah Blaffer Hrdy, *Moederschap, een natuurlijke geschiedenis*, Het Spectrum, Utrecht, 2000.

Vonne van der Meer, *Nachtgoed*, De Bezige Bij, Amsterdam, 1993.

Kees Waaijman, *Spiritualiteit, vormen, grondslagen, methoden*, Kok, Kampen, 2001.

Wolfgang Gädeke, *Huwelijk en relatie – over liefde, seksualiteit en de verschillen tussen man en vrouw*, Uitgeverij Vrij Geestesleven, Zeist, 1992.

André van Lysebeth, *Tantra, een andere visie op leven en seks*, Ankh-Hermes Deventer, 1991.

Barry Long, *Liefhebben, de weg van seks naar liefde*, Altamira-Becht, Heemstede, 2000.

Cathi Hanauer (ed.),*The Bitch in the House*, William Morrow, HarperCollins Publishers, New York, 2002.

VERANTWOORDING

Enkele fragmenten van de tekst verschenen in ongeveer deze vorm eerder in artikelen van mijn hand, met name in *Jonas Magazine*, *Marie Claire*, *Trouw* en *de Volkskrant*.

De auteur verwelkomt commentaar, via de uitgeverij of per e-mail: lthooft@xs4all.nl.

F